의사, 약사들도
모르는
건강기능식품

Credits

의사, 약사들도 모르는 건강기능식품

발행	2024년 7월 17일
저자	김세호(세이치)
디자인	김세호(세이치)
편집	김세호(세이치)
펴낸이	송태민
펴낸곳	열린 인공지능
등록	2023.03.09(제2023-16호)
주소	서울특별시 영등포구 영등포로 112
전화	(0505)044-0088
이메일	book@uhbee.net
ISBN	979-11-94006-31-2

www.OpenAIBooks.com

의사, 약사들도
모르는
건강기능식품

Contents

■ 건강기능식품 선택하는 방법

■ 건강기능식품에는 필수 영양소도 충분히 있는 것이 좋다

- 성분

- 성분별 섭취량

- 그래서 결론적으로는?

■ 필수 영양소 외 건강기능식품의 '기능성 원료'

- 33가지의 기능별로 나누어 보는 원료

건기식, 건강기능식품,
건강식품, 영양제 등
다양한 이름으로 불립니다.
간단하게 개념을 알아봅시다.

건강기능식품

건강기능식품? 영양제? 일반식품? 건강식품?

보통 우리가 '건기식'이라고 부르는 것은 '건강기능식품'입니다. 그런데 누군가는 영양제, 일반식품, 건강식품 등 다양한 단어로 부르는데, 그 차이를 알아보겠습니다.

건강기능식품 : 특정한 성분이나 원료를 과학적으로 검증하여, 그 성분이나 원료가 인체에 미치는 영향을 표시하고 판매하는 식품을 말합니다. 일반적으로 건강기능식품은 특정한 건강에 대한 기능을 가지고 있으며, 그 성분의 효능 및 효과를 표시할 수 있습니다. 이러한 식품은 식품의약품안전처로부터 건강기능식품으로서의 판매 승인을 받아야 합니다.

영양제 : 영양제는 특정 영양소를 보충하기 위해 개발된 제품을 말합니다. 비타민, 미네랄, 아미노산 등 필요한 영양소를 쉽게 섭취할 수 있도록 도와줍니다. 이러한 제품은 일반적으로 식품의약품안전처의 심사를 받지 않습니다.

건강식품 : '건강식품'은 법적으로 정의된 용어는 아닙니다. 보통 좋은 영양소를 많이 함유하거나, 건강에 좋다고 알려진 식품을 일반적으로 '건강식품'이라고 합니다. '일반식품'과 보통 같은 말로 쓰입니다.

식품 : 식품은 특별한 건강 효과를 주장하지 않는, 일상 생활에서 섭취하는 모든 식품을 말합니다. 과일, 채소, 곡물, 고기, 유제품 등이 이에 해당합니다.

여기서, 제품들을 보면 가장 큰 특징이 있습니다.

- 건강기능식품

이와 같은 마크가 붙어 있습니다. 2개 중 하나만 있는 경우도 있습니다. 그리고 식품유형에 '건강기능식품'이라고 명시되어 있는 것이 특징입니다.

- 건강식품

식품유형에 '기타가공품', '캔디류', '액상차' 등 일반식품의 형태로 표기되어 있는 것이 특징입니다.

건강기능식품, 일반의약품, 전문의약품

건강기능식품

이는 특정 건강기능을 가진 성분이나 원료를 과학적으로 검증하여 그 효능 및 효과를 표시하고 판매하는 식품을 말합니다. 건강기능식품은 식품의약품안전처로부터 승인을 받아야 하며, 특정 질병의 예방이나 치료 효과를 주장할 수는 없습니다.

이는 의사나 약사가 아니더라도 판매와 유통, 구매가 자유롭게 가능하다는 특징이 있어 시중에서 쉽게, 많이 거래가 되고 있습니다.

일반의약품

안전성과 효능이 확보되어 비전문가도 구매하고 사용할 수 있는 의약품을 말합니다. 감기약, 해열진통제, 위장약 등이 여기에 속하며, 일반 소비자가 자가 진단 후 구매하여 사용할 수 있습니다.

단, 약국에서 주로 구매할 수 있으며 일부 일반의약품의 경우에는 편의점 등에도 판매하고 있습니다. 일부 비타민제 같은 경우, 건강기능식품인 것도 있고 일반의약품인 것도 있습니다. 명칭이 정확하게 제품 겉면에 기재되므로 확인이 쉽게 가능합니다.

전문의약품

의사의 처방이 필요한 의약품으로, 일반인이 임의로는 직접 구매할 수 없습니다. 전문의약품은 특정 질병의 치료를 위해 사용되며, 보통 의사가 진단하고 처방하는 약을 말합니다. 이는 효과가 크지만 부작용도 크기 때문에 전문가의 지도 하에 사용해야 합니다.

의사의 처방전을 가지고 약국에 가서 조제 처방 형태로 해당 전문의약품을 수령하게 됩니다. 그리고 법적으로도 약사의 복약 지도 하에 효능, 용량, 주의사항 등을 설명받은 뒤 비로소 복용할 수 있습니다.

아주 간단하게 생각하면, 다음과 같습니다.

건강기능식품 : 아무나 취급 가능, 질병의 예방과 치료 효과가 가장 낮음
(입증되지 않았거나 매우 미비한 수준)
일반의약품 : 약사가 취급 가능, 질병 예방과 치료 효과가 중간 수준.
효과가 건강기능식품보다 높은 만큼 부작용 확률도 높다.
전문의약품 : 의사 처방으로만 가능. 가장 높은 수준의 질병 예방과 치료
효과. 그만큼 높은 수준의 확률과 강도의 부작용 위험성.

전문의약품과 일반의약품을
주로 다루는 의사와 약사,
어떤 특징을 가지고 있는지
살펴보겠습니다.

의사, 약사
알아보기

의사가 되는 과정

대략적으로 의사가 되는 과정은 11년 정도라고 알려져 있습니다. 아래에서 이 과정을 대략적으로 설명하겠습니다.

대학입학 : 의사가 되기 위한 첫 걸음은 고등학교를 졸업하고 의과대학에 입학하는 것입니다. 한국의 의과대학은 대부분 6년제로 운영되며, 예과 2년, 본과 4년 정도로 구성됩니다. 이 기간 동안 학생들은 의학의 기본적인 개념과 지식을 배우게 됩니다. 의학전문대학원으로 편입해서 공부를 시작하는 경우도 많습니다.

의사국가시험 : 의과대학을 졸업한 후, 학생들은 의사국가시험에 응시해야 합니다. 이 시험은 한국에서 의사로서의 직무를 수행할 수 있는지를 판단하기 위한 중요한 단계입니다.

일반의 : 의사 자격증을 취득하면, 일반의가 됩니다. 이 단계에서 의사는 모든 의학 분야에 대한 광범위하지만 전문의에 비해 얕은 지식을 가지고 있으며, 특정 분야에 깊이 파고들기 전의 단계입니다.

전공의 : 일반의가 특정 분야의 전문가가 되기 위해서는 전공의 과정을 거쳐야 합니다. 전공의 과정은 인턴 1년과 레지던트 4년을 하게 되는데, 이

　　의사, 약사들도 모르는 건강기능식품

기간 동안 의사는 특정 분야의 의학 지식과 기술을 전문적으로 학습하게 됩니다.

인턴/레지던트 : 의사국가시험에 합격한 후, 학생들은 병원에서 1년 동안 인턴으로 근무하고, 4년 동안 레지던트로 근무하게 됩니다. 그 기간 동안, 학생들은 다양한 의학 분야에서 실질적인 경험을 쌓게 됩니다. 특히 주치의는 보통 레지던트일 때부터 수행합니다.

전문의 시험 : 전공의 과정을 마친 후, 의사는 전문의 시험에 응시할 수 있습니다. 이 시험은 특정 분야의 의학 지식을 평가하며, 합격자만이 그 분야의 전문의로 인정받게 됩니다.

전문의 : 전문의는 특정 분야에서 가장 높은 수준의 의료 서비스를 제공할 수 있는 의사를 말합니다. 전문의는 그 분야에서 가장 최고의 전문가로 인정받는 의사입니다.

펠로우 : 그 다음 추가적으로 해당 과에서 세부파트를 수련하는 경우, 1~2년 정도 수행하는 경우가 있습니다. 펠로우를 한다는 것은, 보통 교수를 목표로 하는 경우가 많습니다.

의사가 현업을 하면서 공부하는 모습

의사는 꾸준한 학습이 필수적인 직업입니다. 새로운 질환, 치료법, 약물 등 지속적으로 변화하는 의학 지식을 습득하고, 환자에게 최선의 진료를 제공하기 위해 의사들은 다양한 방법으로 공부합니다.

1. 의학 전문 서적 : 의료 분야에서 가장 기본적인 공부 방법은 의학 전문 서적을 통한 학습입니다. 의학 서적은 각 분야의 전문 지식을 체계적으로 정리해 놓았으며, 의사들은 이를 통해 최신의 의학 지식을 얻을 수 있습니다.

2. 학술지 : 의학 분야의 연구 결과는 주로 학술지를 통해 공유되며, 의사들은 학술지를 통해 최신의 연구 결과와 정보를 얻습니다. 학술지를 통한 학습은 의학의 최전선에서 일어나는 연구 동향을 파악하는 데 매우 중요합니다.

3. 연수 프로그램 : 의사들은 정기적으로 진행되는 연수 프로그램을 통해 공부합니다. 이러한 프로그램은 특정 분야의 전문가들이 진행하며, 새로운 치료법이나 기술을 실제로 배우는 데 유용합니다.
특히, 일정 학점을 이수해야만 의사 자격증을 3년 마다 갱신할 수 있어서 시간이 없거나 의지가 없어도 어쩔 수 없이 듣는 경우가 많습니다.

의사, 약사들도 모르는 건강기능식품

4. 학회 참여 : 의사들은 자신이 속한 분야의 학회에 참여하여 학문적인 토론을 통해 공부합니다. 학회에서는 최신 연구 결과를 공유하고, 동료들과 함께 문제를 논의하며, 새로운 아이디어를 얻을 수 있습니다.

5. 케이스 스터디 : 의사들은 자신이 직접 다룬 환자 케이스를 통해 공부하기도 합니다. 이는 실제 상황에서 어떻게 대처해야 하는지를 배우는 데 매우 유용하며, 특히 진료 실력을 향상시키는 데 도움이 됩니다.

6. 온라인 교육 : 최근에는 인터넷을 통한 온라인 교육이 인기를 끌고 있습니다. 온라인으로 수업을 듣거나, 웹세미나를 통해 새로운 정보를 얻는 등 다양한 방법으로 의학 지식을 확장할 수 있습니다.

7. 제약회사, 의료기기 회사 등 정보 전달 : 특히 제약회사의 MR (Medical Representative, 의약품 정보 전달자)이나 PM (Product Manager) 등이 직접 자사의 제품을 소개하면서 최신 연구 결과나 약물의 특성을 안내합니다. 보통은 진료가 바쁜 의사들이 많아 이 정보들로 주로 공부하게 되는 케이스가 많습니다. 참고로 연구 데이터에 대해서는 주로 유의한 내용이었는지 아닌지, 그리고 결론이 무엇인지에 대해서만 빠르게 짚고 넘어가는 경우가 많습니다.

이렇게 다양한 방법이 있지만, 실제로 의사분들과 면담을 해보면 현업에

매진하는 동시에 공부를 많이 하시는 분들이 그렇게 많지는 않습니다. 사업가로서, 병원 경영자로서 일하면서 부딪히는 여러 가지 일들을 처리하면서 진료도 해야 하기 때문에 공부에 소홀해지는 경향이 많은 것을 알 수 있었습니다.

폭넓은 의학 최신 정보들을 직접 탐구하는 것 외에, 의사끼리의 커뮤니티가 있어서 거기에서 얻는 정보들도 꽤 많고, 의약품을 추천하거나 평가하는 경우도 많습니다.

대부분의 의사들은 '전문의약품'에 대해서는 공부를 그래도 많이 하는 편이긴 합니다. 하지만 일반의약품이나 건강기능식품, 일반식품에 대해서는 공부를 잘 하지 않습니다. 전문의약품만 해도 정보가 엄청나기 때문에 다른 것을 공부할 여력이 없다는 의견이 많습니다. 그나마 '기능의학' 같은 학문들을 공부하시는 의사들은 건강기능식품에 대해서도 학습을 많이 하는 편입니다.

약사가 되는 과정

약사가 되는 과정은 의사만큼 오래 걸리는 것은 아니지만, 그래도 꽤 복잡하고 엄격한 훈련과 시험을 필요로 합니다. 아래에 대략적으로 설명해 보겠습니다.

1. 대학입학 : 고등학교를 졸업하고 약학대학에 입학합니다. 한국의 약학대학은 6년제로 운영되며, 이 기간 동안 학생들은 약물의 특성, 제조 방법, 효과 및 부작용 등에 대해 배우게 됩니다. 이 또한 전문대학원으로 편입해서 이루어지는 경우도 있습니다.

2. 약사국가시험 : 약학대학을 졸업한 후, 학생들은 약사국가시험에 응시해야 합니다. 이 시험은 한국에서 약사로서의 직무를 수행할 수 있는지를 판단하기 위한 중요한 단계입니다.

3. 약사 인턴 : 약사국가시험에 합격한 후, 학생들은 병원이나 약국에서 1년 동안 약사 인턴으로 근무하게 됩니다. 인턴 기간 동안, 학생들은 실제 약물을 처방하고 관리하는 과정을 배우게 됩니다.

4. 약사 : 인턴을 마친 후, 약사는 정식으로 약사의 자격을 얻게 됩니다. 이 단계에서 약사는 약물에 대한 전문적인 지식을 바탕으로 환자에게 약물을

안전하게 사용할 수 있도록 돕게 됩니다.

5. 전문약사 교육 이수 : 약사가 특정 분야의 전문가가 되기 위해서는 전문약사 교육 과정을 이수해야 합니다. 전문약사 과정은 대략 3년이며, 이 기간 동안 약사는 특정 분야의 약물 지식을 전문적으로 학습하게 됩니다.

6. 전문약사 시험 : 전문약사 과정을 마친 후, 약사는 전문약사 시험에 응시해야 합니다. 이 시험은 특정 분야의 약물 지식을 평가하며, 합격자만이 그 분야의 전문약사로 인정받게 됩니다.

7. 전문약사 : 전문약사는 특정 분야에서 가장 높은 수준의 약물 서비스를 제공할 수 있는 약사를 말합니다. 전문약사는 그 분야에서 가장 최고의 전문가로 인정받는 약사입니다.

이 과정은 대략적인 설명이며, 실제로는 각 단계마다 많은 시험과 평가, 그리고 연구 활동 등이 있습니다. 전문약사 까지는 취득하지 않아도 약사 타이틀만 있어도 충분히 약국을 열어서 운영해도 문제없습니다. 특별히 장점이 있다고 보기는 어렵기 때문에 전문약사 시험을 치르지 않고 곧바로 자신의 약국을 오픈하는 경우가 많습니다.

약사가 현업을 하면서 공부하는 모습

약사는 새로운 약물, 치료법, 약물 상호작용 등 지속적으로 변화하는 약학 지식을 습득하고, 환자에게 최선의 약물 관리를 제공하기 위해 다양한 방법으로 공부합니다. 아래에 이를 설명드리겠습니다.

1. 약학 전문 서적 : 약물에 대한 가장 기본적인 공부 방법은 약학 전문 서적을 통한 학습입니다. 약학 서적은 각 분야의 전문 지식을 체계적으로 정리해 놓았으며, 약사들은 이를 통해 최신의 약학 지식을 얻을 수 있습니다.

2. 학술지 : 약학 분야의 연구 결과는 주로 학술지를 통해 공유되며, 약사들은 학술지를 통해 최신의 연구 결과와 정보를 얻습니다. 학술지를 통한 학습은 약학의 최전선에서 일어나는 연구 동향을 파악하는 데 매우 중요합니다.

3. 연수 프로그램 : 약사들은 정기적으로 진행되는 연수 프로그램을 통해 공부합니다. 이러한 프로그램은 특정 분야의 전문가들이 진행하며, 새로운 약물이나 약물 관리 기법을 실제로 배우는 데 유용합니다.

4. 학회 참여 : 약사들은 자신이 속한 분야의 학회에 참여하여 학문적인 토론을 통해 공부합니다. 학회에서는 최신 연구 결과를 공유하고, 동료들과

함께 문제를 논의하며, 새로운 아이디어를 얻을 수 있습니다.

5. 케이스 스터디 : 약사들은 자신이 직접 처방한 약물 케이스를 통해 공부하기도 합니다. 이는 실제 상황에서 어떻게 대처해야 하는지를 배우는 데 매우 유용하며, 특히 약물 관리 실력을 향상시키는 데 도움이 됩니다.

6. 온라인 교육 : 최근에는 인터넷을 통한 온라인 교육이 인기를 끌고 있습니다. 온라인으로 수업을 듣거나, 웹세미나를 통해 새로운 정보를 얻는 등 다양한 방법으로 약학 지식을 확장할 수 있습니다.

이렇게 보면, 대략적으로 큰 그림으로 봤을 때 의사와 약사가 현업에서 공부하는 과정이 비슷하네? 라는 생각이 들 수 있습니다. 방식 자체는 비슷합니다만, 사실 의사나 약사의 나이, 스타일에 따라 천차만별입니다.

약사의 경우, '전문의약품'에 대해서는 사실 병원에서 내려오는 처방전에 따라 처방과 복약지도만 해도 충분하기 때문에 깊게 공부하지 않습니다. 성분에 따른 구체적인 차이에 대해서는 의사분들에 비해 잘 모르는 것이 특징입니다. 반면에 약사는 의사에 비해 일반의약품에 대해서는 잘 알고 있습니다. 건강기능식품도 많이 다루긴 하지만, 일반의약품에 비해서는 잘 모릅니다. 그리고 일반식품 같은 경우에는 약국에서 많이 취급하지는 않습니다.

의사, 약사여도 건강기능식품을 잘 아는 것은 아니다

오래 전부터, 의사분들도 전문의약품에 대해 본인이 직접 공부해서 우수한 성분을 적절히 처방하는 경우도 많이 있습니다. 하지만 어떤 약이 가장 좋은지 알면서도 다른 여러 가지 이유로 인해 전납, 간납 도매상이 선정해 주는 약품을 쓴다던지, 최선보다는 차선으로 선택한 약물을 처방하는 경우도 많이 있습니다. 물론 근거 없는 약물을 쓰는 케이스는 그리 많지 않습니다.

하지만 의사마다 처방하는 레지멘 (Regimen, 처방 패턴 혹은 레시피)이 다르고, 실력과 경험이 다르기 때문에 '어떤 병원을 갔더니 잘 낫는데 어떤 병원은 잘 모르겠다, 혹은 부작용이 생겼다' 하는 경우는 언론 미디어 매체 등에서도 많이 접했을 것입니다.

기본적으로 의사, 약사 모두 사업가이자 경영자, 이윤을 추구하는 노동자인 것은 부인할 수 없습니다. 국민의 건강에 이바지해야 하는 사명감이 담긴 자격증을 가지고 있는 사람들이지만, 그렇다고 해서 모두가 똑같이 100% 봉사하는 마음가짐으로 진료나 처방 등의 행위를 하지는 않습니다. 그렇기에 건강기능식품과 일반식품 같은 경우에도 정확하게 알지 않은 상태로 판매하거나 권유하는 경우도 많다는 점, 참고하시기 바랍니다.

건강기능식품을 취급하는 주체가 다양합니다.
주체가 다양합니다.
대기업부터 1인 사업자까지,
각각 어떤 전략을 취하는지
알아보겠습니다.

건강기능식품은
어떻게 팔고 있는가?

먼저 알아야 할 것 - 판매자, 판매 대상, 법적 사항

1. 대기업에는 보통 '제약회사'가 해당됩니다.

2. '전문의약품'에 대해서는 의료광고법 상 직접적인 매체 광고를 할 수 없습니다.

3. '일반의약품', '건강기능식품', '건강식품'(일반식품)은 대외적이고 직접적인 광고가 가능합니다.

4. '일반의약품', '건강기능식품'은 별도의 광고심의를 받아야만 광고가 가능합니다. 따라서 기간과 비용이 '건강식품'(일반식품)에 비해 많이 들어갑니다.

5. '건강식품'(일반식품) 에는 효능/효과를 직접적으로 언급하여 홍보할 수 없습니다. 단, 그렇기 때문에 광고심의를 별도로 받지 않아도 쉽게 판매가 가능합니다.

앞서 건강기능식품과 건강식품(일반식품)의 2가지 형태로 판매가 되고 있다고 말씀드렸습니다. 그리고 건강식품(일반식품)은 광고 심의가 필요하지 않다는 특징이 있었습니다.

그래서 요즘에는 대기업도 건강기능식품이 다소 절차가 까다로운 부분이 있다는 이유로 건강식품(일반식품) 생산에 더욱 집중하는 경향을 보이고 있습니다.

소비자의 마음을 사로잡기 위해 펼치는 전략들이 여러 가지 있습니다. 특히 최근에는 건강식품(일반식품)의 경우에 광고에 효능 및 효과에 대한 부분은 언급할 수 없음에도 불구하고, 마치 건강기능식품처럼 명시해 논란이 된 것도 있습니다.

물론 세일즈하는 사람의 입장에서 효과가 확실히 있는지 알리고 싶고, 소비자의 입장에서도 나에게 정말 효과가 있는지 알고 싶은 것은 충분히 이해합니다만, 법적인 규제와 특성이 있기에 참고하시어 잘 섭취하시면 좋겠습니다.

그럼 이어서 건강기능식품을 어떻게 판매하고 있는지 특징적인 부분들을 살펴보겠습니다.

대기업이 쓰는 방식

기본적인 내용은 앞서 다루었고, 대기업이 활용하는 전략에 대해 대표적인 것을 간단하게 살펴보겠습니다.

1. 고함량 강조

(1) '고함량'은 반드시 '더 좋다'는 것을 의미하지 않습니다. 실제로, 필요한 양 이상으로 비타민이나 미네랄을 섭취하는 것은 건강에 해로울 수 있습니다. 예를 들어, 과도한 칼슘 섭취는 신장 결석이나 심장 질환의 위험을 증가시킬 수 있습니다. 이런 이유로, 소비자들은 '고함량'이라는 광고 문구에 현혹되지 않고, 자신의 건강 상태와 필요성에 맞는 제품을 선택해야 합니다.

(2) '고함량'을 강조하는 것은 소비자들이 제품의 전체적인 품질과 효과를 오해하게 만들 수 있습니다. 건강기능식품의 효과는 단순히 성분의 함량에만 의존하는 것이 아니라, 성분의 품질, 제품의 제조 과정, 성분들 간의 상호 작용 등 여러 요소에 의해 결정됩니다. 따라서 '고함량'이라는 한 가지 특징만을 강조하는 것은 제품의 전체적인 가치를 왜곡하는 결과를 가져올 수 있습니다.

(3) '고함량' 광고는 소비자들에게 건강에 대한 잘못된 인식을 심어줄 수 있습니다. 바람직한 건강 상태는 균형 잡힌 식사와 적절한 운동, 충분한 휴식 등 종합적인 생활 습관에 의해 유지되는 것이지, 특정 성분을 과다하게 섭취함으로써 달성되는 것이 아닙니다. '고함량' 광고는 이런 중요한 건강 관리 원칙을 무시하고, 단기적인 해결책을 제공하려는 경향이 있습니다.

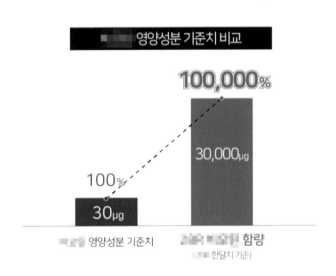

이것이 과연 정상적일까요?

2. 기술력 강조

건강기능식품을 제조하기 위해서는 검증된 시설을 갖추어야 합니다. 이는 기본적인 것으로, GMP 시설을 갖췄다, 위생적인 시설에서 생산했다는 식으로 홍보하는데 너무나 당연한 이야기입니다. 기술력을 강조하는 것은, 그들의 제품이 과학적인 연구와 기술에 기반하고 있음을 보여주는 방법입니다. 그러나 이런 접근법은 몇 가지 문제점을 가지고 있을 수 있습니다.

(1) '기술력'을 강조하는 것이 과학적인 근거나 안전성을 보장한다는 것을 의미하지 않습니다. 기술의 발전은 제품의 품질을 개선하거나 생산 과정을 효율화하는 데 도움이 될 수 있지만, 이는 반드시 제품이 효과적이거나 안전하다는 것을 의미하지 않습니다. 따라서, 기업들은 '기술력'을 강조하면서도 제품의 효과와 안전성에 대한 충분한 증거를 제시해야 합니다. 제시했더라도 그 성분 자체의 효능에 대해 일부만 드러내는 것이 문제입니다.

(2) '기술력'을 강조하는 것은 제품의 실제 가치를 왜곡할 수 있습니다. 건강기능식품의 가치는 그 제품이 소비자의 건강에 어떤 영향을 미치는지에 달려 있습니다. 기술력만을 강조하면, 이런 중요한 포인트가 무시될 수

있습니다.

(3) '기술력'을 강조하는 광고는 소비자들에게 건강에 대한 오해를 불러일으킬 수 있습니다. 건강은 균형 잡힌 식사, 적절한 운동, 충분한 수면 등 여러 요소에 의해 결정되는 복합적인 상태입니다. 높은 '기술력'을 가진 제품만 섭취하면 건강해질 수 있다는 메시지는 이런 복잡성을 간과하게 만듭니다.

3. 유명인을 활용한 시선 집중

대기업들이 건강기능식품을 홍보할 때 '유명인'을 앞세우는 전략은 소비자들의 관심을 끌고 제품에 대한 긍정적인 이미지를 형성하는 데 효과적일 수 있습니다. 그러나 이런 접근법은 몇 가지 문제점을 가지고 있습니다.

(1) '유명인'의 홍보는 제품의 실제 효과나 가치를 왜곡할 수 있습니다. 유명인이 제품을 추천한다고 해서 그 제품이 반드시 효과적이거나, 모든 사람에게 적합하다는 것을 의미하지는 않습니다. 실제로, 유명인이 제품을 실제로 사용하거나 그 효과를 체험한 것이 아니라 단순히 홍보를 위해 제품을 추천하는 경우가 많습니다.

(2) '유명인' 홍보는 소비자들이 제품을 선택하는 데 필요한 중요한 정보를 제공하지 않을 수 있습니다. 적절한 건강기능식품의 선택은 개인의 건강 상태, 영양상태, 생활 습관 등 다양한 요소를 고려해야 합니다. 그러나 '유명인' 홍보는 이런 중요한 요소보다는 유명인의 이미지나 인기에 더 많은 중점을 두는 경향이 있습니다.

(3) '유명인' 홍보는 소비자들에게 건강에 대한 잘못된 인식을 심어줄

수 있습니다. 유명인의 건강한 이미지가 제품을 통해 쉽게 얻을 수 있는 것처럼 표현되는 경우, 건강을 유지하고 향상시키는 것이 단순한 제품 선택 문제가 아니라 복합적인 생활습관의 문제임을 간과하게 만들 수 있습니다.

인플루언서나 유명인, 연예인이 그 제품을 홍보한다고 해서 그 사람처럼 되는 것이 아닙니다. 그 사람처럼 되려면 그 사람이 했던 노력의 과정을 거쳐도 될까말까인데, 그 제품을 먹는다고 해서 되는 것이 아니죠. 연예인이 콜라겐을 홍보한다고 그 사람 피부가 되는 것은 아닌 것처럼 말입니다.

의사/약사가 쓰는 방식

이런 것 많이 보셨을 수 있습니다. '진짜 의사/약사들이 직접 만든 건강기능식품' 같은 것 말이죠. 물론, 일반인보다야 조금은 더 의학/약학적 지식을 알고 있겠죠. 의사와 약사가 건강기능식품을 홍보하면서 자신의 전문적 지위를 강조하는 것은 그들의 전문성과 신뢰성을 알리는 한 방법입니다. 그러나 이런 접근법은 몇 가지 이유로 문제가 될 수 있습니다.

(1) '전문가의 추천' 혹은 '직접 만든 제품' 이라는 문구는 제품이 과학적인 근거나 안전성을 보장한다는 것을 의미하지는 않습니다. 의사나 약사의 전문 지식이 높다고 해서 그들이 추천하는 모든 제품이 효과적이고 안전하다는 보장은 없습니다. 어차피 본인의 손으로 직접 만드는 것이 아니라 생산 공장에 맡기는 거니까요. 실제로, 건강기능식품의 효과는 개인의 건강 상태, 영양상태, 생활 습관 등 다양한 요소에 따라 크게 달라질 수 있습니다.

(2) 제품의 실제 가치를 왜곡할 수 있습니다. 의사나 약사의 지위를 앞세우는 것은 그들의 전문성을 강조하는 한편, 제품 자체의 효과나 품질에 대한 중요한 정보를 뒷전으로 밀어낼 수 있습니다. 소비자들은 제품 선택 시 전문가의 의견을 참고하는 것이 중요하지만, 그보다는 제품의 성분,

효능, 안전성 등에 대한 충분한 정보를 바탕으로 판단해야 합니다.

(3) 소비자들이 제품을 선택하는 데 필요한 비판적 사고를 저해할 수 있습니다. 의사나 약사가 추천하는 제품이라면 반드시 좋을 것이라는 생각은 소비자들이 제품의 성분이나 효능, 안전성에 대해 충분히 이해하고 판단하는 것을 방해할 수 있습니다.

(4) 그들의 직업 윤리에 대한 문제를 불러올 수 있습니다. 의사나 약사는 환자나 고객의 건강을 책임지는 전문가로서, 제품 홍보나 판매를 통해 이익을 추구하는 것이 적절하지 않을 수 있습니다. 이는 그들의 직업적 중립성을 해치고, 환자나 고객에 대한 신뢰를 손상시킬 수 있습니다.

중소기업이나 개인 사업자가 쓰는 방식

특정 성분이 많이 판매되고, 대기업에서 밀고 있는 제품 성분이기 때문에 '이것은 돈이 된다'라는 이유로 비슷한 제품들이 많이 출시되었습니다. 중소기업이나 개인 사업자들이 건강기능식품을 홍보하면서 건강에 대한 전문적인 지식이 충분하지 않은 채 이윤 추구를 위해 제품을 홍보하는 것은 여러 가지 이유로 문제가 될 수 있습니다.

(1) 건강기능식품은 그 이름에서 알 수 있듯이 소비자의 건강에 직접적인 영향을 미치는 제품입니다. 따라서, 이런 제품을 홍보하고 판매하는 사업자들은 제품의 성분, 효능, 안전성 등에 대한 충분한 지식과 이해를 가져야 합니다. 그러나 건강에 대한 전문적인 지식이 부족한 상태로 제품을 홍보하고 판매하는 것은 소비자의 건강을 위협할 수 있습니다.

(2) 이윤 추구를 위해 마구잡이로 제품을 홍보하는 것은 소비자의 신뢰를 손상시킬 수 있습니다. 소비자들은 건강기능식품을 선택할 때 제품의 효과와 안전성을 중요하게 생각합니다. 그러나 이윤 추구를 위해 어떠한 제품이든 홍보하는 사업자들은 이런 중요한 요소를 무시하고, 소비자들에게 잘못된 정보를 제공할 위험이 있습니다.

(3) 이런 방식의 홍보는 건강기능식품 시장의 건전성을 해칠 수 있습니다. 건강기능식품 시장은 소비자들의 건강을 증진하고, 다양한 건강 문제를 해결하는 제품을 제공하는 것을 목표로 합니다. 그러나 이윤 추구를 최우선으로 생각하는 사업자들의 활동은 이런 목표를 훼손하고, 시장의 신뢰성을 저하시킬 수 있습니다.

따라서, 중소기업이나 개인 사업자들은 건강기능식품을 홍보하고 판매할 때, 제품의 효과와 안전성, 그리고 소비자의 건강에 대한 책임감을 가지고 행동해야 합니다. 이를 통해 소비자들의 건강을 증진하고, 건강기능식품 시장의 건전성을 유지하는 데 기여할 수 있을 것입니다.

이익만을 위해 충분한 지식 없이 판매하는 사업자가 많습니다.

건강기능식품은,
건강하기 위해 보조적으로
섭취하는 제품입니다.
그렇다면 꼭 들어가야 하는 것
확실한 기준이 있는 것을
선택해야겠죠.

건강기능식품
선택하는 방법

근거가 있어야 한다

(1) 함유된 성분에 대한 안전성과 효능/효과

지금까지 건강기능식품, 일반식품에 쓰이는 각종 성분들이 식약처 승인을 받고 출시가 되었습니다. 고시형 원료와 개별 인정형 원료로 나뉘고, 효능 및 효과, 안전성에 대한 연구를 거친 뒤에 출시합니다.

그리고 각종 기업들이 이렇게 승인된 원료를 가지고 각자의 레시피대로 조합하여 건강기능식품, 일반식품을 제조하여 공급합니다. 그렇기 때문에 출시된 성분들은 어느 정도 검증된 것이라고 볼 수 있습니다.

(2) 한국인 영양소 섭취기준 등 국가에서 한국인의 특성에 맞게 제작하여 제공하는 공식 가이드

성분 자체는 인정받은 것들이 유통되고 있습니다만, 그 함량과 품질이 문제입니다. 성분 자체는 효과가 있기는 한데, 얼마나 먹어야 하는 것인가가 중요한 문제죠. 그렇기 때문에 한국인 영양소 섭취기준에 그 가이드를 제시하고 있습니다. 국가에서 주는 가이드이니 공신력은 확실하다고 생각하면 될 것 같습니다.

단, 한국인 영양소 섭취기준을 참고할 때, 반드시 알고 있어야 할 사항이 있습니다.

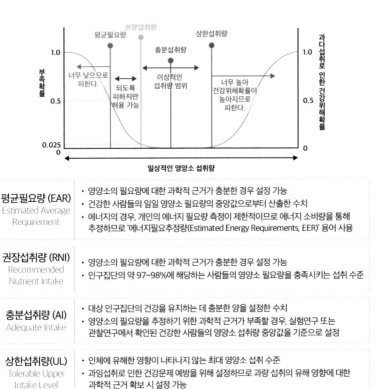

평균필요량 (EAR) Estimated Average Requirement	· 영양소의 필요량에 대한 과학적 근거가 충분한 경우 설정 가능 · 건강한 사람들의 일일 영양소 필요량의 중앙값으로부터 산출한 수치 · 에너지의 경우, 개인의 에너지 필요량 측정이 제한적이므로 에너지 소비량을 통해 추정하므로 '에너지필요추정량(Estimated Energy Requirements, EER)' 용어 사용
권장섭취량 (RNI) Recommended Nutrient Intake	· 영양소의 필요량에 대한 과학적 근거가 충분한 경우 설정 가능 · 인구집단의 약 97~98%에 해당하는 사람들의 영양소 필요량을 충족시키는 섭취 수준
충분섭취량 (AI) Adequate Intake	· 대상 인구집단의 건강을 유지하는 데 충분한 양을 설정한 수치 · 영양소의 필요량을 추정하기 위한 과학적 근거가 부족할 경우, 실험연구 또는 관찰연구에서 확인된 건강한 사람들의 영양소 섭취량 중앙값을 기준으로 설정
상한섭취량(UL) Tolerable Upper Intake Level	· 인체에 유해한 영향이 나타나지 않는 최대 영양소 섭취 수준 · 과잉섭취로 인한 건강문제 예방을 위해 설정하므로 과량 섭취의 유해 영향에 대한 과학적 근거 확보 시 설정 가능

위 설명이 조금 어려울 수 있으니 쉽게 풀어보겠습니다.

(1) 평균필요량 : 건강한 사람들이 평균적으로 최소한 이 정도의 양은 먹어줘야

　　　　　　　 탈이 없다. (이것보다 덜 먹으면 결핍증이 생길 수 있음)

(2) 권장섭취량 : 대부분의 사람들의 영양소 필요량을 충족시키는 최소한의

　　　　　　　 섭취 수준. 되도록 이것보다는 더 먹으라고 권장함.

(3) 충분섭취량 : 이 정도는 먹어줘야 충분하다. 가장 추천하는 이상적인

　　　　　　　 섭취량이다.

(4) 상한섭취량 : 이것보다 더 먹으면 과잉섭취로 부작용이 생길 수 있는 수치.

필수 영양소.
'필요'가 아닌 '필수' 입니다.
외부에서 섭취해야만 하는
성분은 보통 음식으로 먹지만
부족한 경우가 많습니다.

건강기능식품에는
필수 영양소도 충분히
있는 것이 좋다

성분 (어떤 성분이 있는가)

한국인이 하루에 먹어야 하는 필수 영양소가 있습니다. 그리고, 보건복지부에서 '1일 영양성분 기준치' 라는 것을 고시했습니다.

[별표 2] 1일 영양성분 기준치

영양성분	기준치	영양성분	기준치	영양성분	기준치
탄수화물(g)	324	크롬(μg)	30	몰리브덴(μg)	25
당류(g)	100	칼슘(mg)	700	비타민B$_{12}$(μg)	2.4
식이섬유(g)	25	철분(mg)	12	비오틴(μg)	30
단백질(g)	55	비타민D(μg)	10	판토텐산(mg)	5
지방(g)	54	비타민E(mgα-TE)	11	인(mg)	700
포화지방(g)	15	비타민K(μg)	70	요오드(μg)	150
콜레스테롤(mg)	300	비타민B$_1$(mg)	1.2	마그네슘(mg)	315
나트륨(mg)	2,000	비타민B$_2$(mg)	1.4	아연(mg)	8.5
칼륨(mg)	3,500	나이아신(mg NE)	15	셀렌(μg)	55
비타민A(μg RAE)	700	비타민B$_6$(mg)	1.5	구리(mg)	0.8
비타민C(mg)	100	엽산(μg)	400	망간(mg)	3.0

위 표에서 알 수 있듯이, 탄수화물, 지방, 단백질은 물론 각종 비타민과 무기질을 꼭 먹어야 합니다. 위에 나와 있는 기준치는 '이 정도는 먹어줘야 하는 수준'입니다. 이를 훨씬 초과해 섭취한다면 부작용이 생길 수도 있겠죠.

그리고, 필수로 먹어야 하는 '필수 아미노산'과 같은 영양소의 일부가 보이지 않습니다. 이제부터 실제로 우리가 충분섭취량으로 먹어야 할 이상적인 수치를 각 성분별로 하나씩 전부 알아보도록 하겠습니다.

성분별 섭취량 (얼마나 먹어야 하나)

 탄수화물, 지방, 단백질은 가장 기본적으로 식사 등을 통해 섭취하고 있습니다. 건강기능식품에서는 이 성분들은 거의 다루어지지 않는다고 보시면 되겠습니다. 하지만 적당한 섭취량 수준은 알아야 하므로 간단하게 살펴보겠습니다.

- 탄수화물

성별	연령	탄수화물(g/일)			
		평균 필요량	권장 섭취량	충분 섭취량	상한 섭취량
영아	0-5(개월)			60	
	6-11			90	
유아	1-2(세)	100	130		
	3-5	100	130		
남자	6-8(세)	100	130		
	9-11	100	130		
	12-14	100	130		
	15-18	100	130		
	19-29	100	130		
	30-49	100	130		
	50-64	100	130		
	65-74	100	130		
	75 이상	100	130		
여자	6-8(세)	100	130		
	9-11	100	130		
	12-14	100	130		
	15-18	100	130		
	19-29	100	130		
	30-49	100	130		
	50-64	100	130		
	65-74	100	130		
	75 이상	100	130		
임신부[1]		+35	+45		
수유부		+60	+80		

[1] 1,2,3 분기별 부가량

- 지방

성별	연령	지방(g/일)			
		평균 필요량	권장 섭취량	충분 섭취량	상한 섭취량
영아	0-5(개월)			25	
	6-11			25	
유아	1-2(세)				
	3-5				
남자	6-8(세)				
	9-11				
	12-14				
	15-18				
	19-29				
	30-49				
	50-64				
	65-74				
	75 이상				
여자	6-8(세)				
	9-11				
	12-14				
	15-18				
	19-29				
	30-49				
	50-64				
	65-74				
	75 이상				
임신부					
수유부					

지방은 섭취량 기준이 없습니다. 아주 적게 먹어도 탄수화물, 단백질이 지방으로 저장이 될 수도 있기 때문입니다.

- 단백질

성별	연령	단백질(g/일)			
		평균 필요량	권장 섭취량	충분 섭취량	상한 섭취량
영아	0-5(개월)			10	
	6-11	12	15		
유아	1-2(세)	15	20		
	3-5	20	25		
남자	6-8(세)	30	35		
	9-11	40	50		
	12-14	50	60		
	15-18	55	65		
	19-29	50	65		
	30-49	50	65		
	50-64	50	60		
	65-74	50	60		
	75 이상	50	60		
여자	6-8(세)	30	35		
	9-11	40	45		
	12-14	45	55		
	15-18	45	55		
	19-29	45	55		
	30-49	40	50		
	50-64	40	50		
	65-74	40	50		
	75 이상	40	50		
임신부[1]		+12	+15		
		+25	+30		
수유부		+20	+25		

[1] 단백질: 임신부-2, 3 분기별 부가량

2020 한국인 영양소 섭취기준 – 에너지적정비율

보건복지부, 2020

성별	연령	에너지적정비율(%)				
		탄수화물	단백질	지질[1]		
				지방	포화지방산	트랜스지방산
영아	0-5(개월)	-	-	-	-	-
	6-11	-	-	-	-	-
유아	1-2(세)	55-65	7-20	20-35	-	-
	3-5	55-65	7-20	15-30	8 미만	1 미만
남자	6-8(세)	55-65	7-20	15-30	8 미만	1 미만
	9-11	55-65	7-20	15-30	8 미만	1 미만
	12-14	55-65	7-20	15-30	8 미만	1 미만
	15-18	55-65	7-20	15-30	8 미만	1 미만
	19-29	55-65	7-20	15-30	7 미만	1 미만
	30-49	55-65	7-20	15-30	7 미만	1 미만
	50-64	55-65	7-20	15-30	7 미만	1 미만
	65-74	55-65	7-20	15-30	7 미만	1 미만
	75 이상	55-65	7-20	15-30	7 미만	1 미만
여자	6-8(세)	55-65	7-20	15-30	8 미만	1 미만
	9-11	55-65	7-20	15-30	8 미만	1 미만
	12-14	55-65	7-20	15-30	8 미만	1 미만
	15-18	55-65	7-20	15-30	8 미만	1 미만
	19-29	55-65	7-20	15-30	7 미만	1 미만
	30-49	55-65	7-20	15-30	7 미만	1 미만
	50-64	55-65	7-20	15-30	7 미만	1 미만
	65-74	55-65	7-20	15-30	7 미만	1 미만
	75 이상	55-65	7-20	15-30	7 미만	1 미만
임신부		55-65	7-20	15-30		
수유부		55-65	7-20	15-30		

[1] 콜레스테롤: 19세 이상 300 mg/일 미만 권고

탄수화물, 지방, 단백질은 보통 식사로 충분히 잘 먹을 것입니다. 그래서 과하게 먹지 않는 수준을 제시하면서, 3가지의 비율을 적정하게 나누어 섭취하도록 권장하고 있습니다.

보통 단백질 섭취가 상대적으로 적을 수 있어서, 위 에너지적정비율에서 단백질은 20% 정도로 맞추는 것이 좋습니다.

이제부터는 필수적으로 섭취해야 하는 영양소들입니다. 가장 적절한 일일섭취량과 '결핍 증상', 그리고 '과잉 증상'들을 함께 설명드리겠습니다.

※ 섭취량의 수치들은 '흡수율'까지 모두 계산된 값입니다.

(1) 식이섬유

성별	연령	식이섬유(g/일)			
		평균 필요량	권장 섭취량	충분 섭취량	상한 섭취량
영아	0-5(개월) 6-11				
유아	1-2(세)			15	
	3-5			20	
남자	6-8(세)			25	
	9-11			25	
	12-14			30	
	15-18			30	
	19-29			30	
	30-49			30	
	50-64			30	
	65-74			25	
	75 이상			25	
여자	6-8(세)			20	
	9-11			25	
	12-14			25	
	15-18			25	
	19-29			20	
	30-49			20	
	50-64			20	
	65-74			20	
	75 이상			20	
임신부[1]				+5	
수유부				+5	

[1] 1,2,3 분기별 부가량

식이섬유 추천하는 1일 섭취량 : 25g

결핍증 : 변비, 체중 증가, 당뇨병 위험 증가, 심장 질환 위험 증가

과잉증 : 복부 팽만감, 가스, 설사, 영양소 흡수 장애, 체내 수분 부족,
　　　　피로감, 두통, 혼란

| 표 7 | 2020년 설정된 연령에 따른 식이섬유 충분섭취량 기준치 미만 섭취자 비율(2013-2017[1])

성별	연령(세)	충분섭취량 미만 섭취자 비율%
전체		67.0
남자	1-2	88.9
	3-5	89.3
	6-8	83.8
	9-11	81.5
	12-14	80.5
	15-18	83.8
	19-29	81.0
	30-49	70.9
	50-64	58.4
	65-74	52.1
	75+	67.6
여자	6-8	84.3
	9-11	84.1
	12-14	86.1
	15-18	88.5
	19-29	70.9
	30-49	52.1
	50-64	36.8
	65-74	47.5
	75+	79.3

[1] 2013-2017년 국민건강영양조사 원자료 분석(질병관리본부, 2013-2017) [94].

식이섬유는 몸에서 흡수하지 않습니다. 그래도 분명히 유익한 효과가 있으며 섭취를 권장하고 있지만, 위 표에서 알 수 있듯이 충분히 섭취하는 사람이 많지 않습니다.

별도로 섭취를 해도 좋고, 식단 구성을 변화시켜 식이섬유를 꼭 섭취하시는 것이 좋습니다.

※ 리놀레산, 알파-리놀렌산

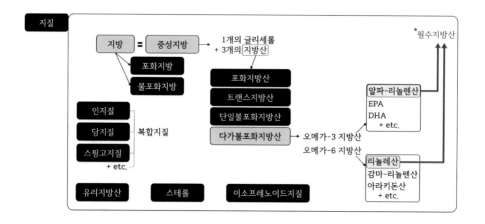

필수 영양소에는 탄수화물, 지방, 단백질이 기본이죠. 그런데 보통 지방에 대해서는 정확히 알고 있는 분이 많지 않습니다.

우선, 지질과 지방은 다릅니다. '지질'이 가장 큰 개념, '지방'은 거기에 속해 있습니다.

흔히들 말하는 '지방'은 '중성지방'을 말합니다. 그 중성지방은 1개의 글리세롤과 3개의 지방산이 합쳐진 형태이죠.

그 지방산은 따로 보셔야 합니다. 지방산 중에 '다가불포화지방산'이라는 것이 있고, 여기에 우리가 많이 들어 본 '오메가-3 지방산'이 속합니다.

오메가-3 지방산에 속하는 것 중 하나가 '알파-리놀렌산'입니다. 그리고 오메가-6 지방산에 속하는 것 중 하나가 '리놀레산'입니다.

이 2가지는 반드시 먹어줘야 해서 별도로 '필수지방산'이라고 합니다. 반드시 외부에서 섭취해줘야 하는 것이죠.

여기서 주의할 점은, 오메가-6 지방산, 즉 리놀레산은 우리가 이미 과다하게 섭취하고 있습니다. 보통 섭취하는 육류 및 식용유들에는 오메가-3 함량은 적고 오메가-6의 함량이 매우 많습니다.

가장 이상적인 섭취 비율은 오메가-3 : 오메가-6 = 1 : 1 입니다. 하지만 그 정도는 굉장히 맞추기 어려운 수치이고, 실질적으로 세계보건기구 (WHO)에서는 오메가-3 : 오메가-6 = 1 : 4 이하로 권장합니다.

이러한 이유로 시중에 오메가-6 지방산 보충제는 따로 존재하지 않습니다. 다만 오메가-3 지방산 관련 제품들은 많이 있죠.

별도로 챙기는 것은 오메가-3 지방산, 즉 '알파-리놀렌산'만 하시면 되겠습니다.

(2) 알파-리놀렌산

성별	연령	알파-리놀렌산(g/일)			
		평균 필요량	권장 섭취량	충분 섭취량	상한 섭취량
영아	0-5(개월)			0.6	
	6-11			0.8	
유아	1-2(세)			0.6	
	3-5			0.9	
남자	6-8(세)			1.1	
	9-11			1.3	
	12-14			1.5	
	15-18			1.7	
	19-29			1.6	
	30-49			1.4	
	50-64			1.4	
	65-74			1.2	
	75 이상			0.9	
여자	6-8(세)			0.8	
	9-11			1.1	
	12-14			1.2	
	15-18			1.1	
	19-29			1.2	
	30-49			1.2	
	50-64			1.2	
	65-74			1.0	
	75 이상			0.4	
임신부				+0	
수유부				+0	

알파-리놀렌산 추천하는 1일 섭취량 : 1.7g

결핍증 : 피부 건조, 각질화, 눈의 건조와 불편감, 심장 질환 위험 증가,

　　　　기억력 저하, 기분 장애

과잉증 : 혈관이 얇아져 출혈 위험 증가, 비타민 E 결핍, 혈당 조절 문제

(3) EPA+DHA (오메가-3 지방산의 일종)

성별	연령	EPA+DHA(mg/일)			
		평균 필요량	권장 섭취량	충분 섭취량	상한 섭취량
영아	0-5(개월)			200[1]	
	6-11			300[1]	
유아	1-2(세)				
	3-5				
남자	6-8(세)			200	
	9-11			220	
	12-14			230	
	15-18			230	
	19-29			210	
	30-49			400	
	50-64			500	
	65-74			310	
	75 이상			280	
여자	6-8(세)			200	
	9-11			150	
	12-14			210	
	15-18			100	
	19-29			150	
	30-49			260	
	50-64			240	
	65-74			150	
	75 이상			140	
임신부				+0	
수유부				+0	

[1] DHA

EPA+DHA 추천하는 1일 섭취량 : 500mg

결핍증 : 피부 건조, 가려움증, 두드러기, 시력 저하, 눈 건조, 기억력 및
집중력 감소, 관절 통증, 류마티스 악화, 기분 장애, 우울증, 불안

과잉증 : 출혈, 구토, 설사, 속쓰림, 면역 시스템 활동 저하, 비타민 E 수준
감소

(4) 메티오닌+시스테인 <small>(필수 아미노산)</small>

성별	연령	메티오닌+시스테인(g/일)			
		평균 필요량	권장 섭취량	충분 섭취량	상한 섭취량
영아	0-5(개월)			0.4	
	6-11	0.3	0.4		
유아	1-2(세)	0.3	0.4		
	3-5	0.3	0.4		
남자	6-8(세)	0.5	0.6		
	9-11	0.7	0.8		
	12-14	1.0	1.2		
	15-18	1.2	1.4		
	19-29	1.0	1.4		
	30-49	1.1	1.4		
	50-64	1.1	1.3		
	65-74	1.0	1.3		
	75 이상	0.9	1.1		
여자	6-8(세)	0.5	0.6		
	9-11	0.6	0.7		
	12-14	0.8	1.0		
	15-18	0.8	1.1		
	19-29	0.8	1.0		
	30-49	0.8	1.0		
	50-64	0.8	1.1		
	65-74	0.7	0.9		
	75 이상	0.7	0.9		
임신부[1]		1.1	1.4		
수유부		1.1	1.5		

[1]아미노산: 임신부, 수유부-부가량 아닌 절대 필요량임.

메티오닌+시스테인 추천하는 1일 섭취량 : 1.5g

결핍증 : 피로, 기억력 저하, 간 질환, 관절 통증, 불안, 심장 질환, 근육 약화, 피부 및 손톱, 헤어 손상

과잉증 : 심장 질환 및 뇌졸중 위험 높이는 호모시스테인 수준 높여 중독 증상, 아세트알데히드 독성 물질 생성, 산화 스트레스 증가, 암, 신경 퇴행성 질환 위험 상승

(5) 류신 (필수 아미노산)

성별	연령	류신(g/일)			
		평균 필요량	권장 섭취량	충분 섭취량	상한 섭취량
영아	0-5(개월)			1.0	
	6-11	0.6	0.8		
유아	1-2(세)	0.6	0.8		
	3-5	0.7	1.0		
남자	6-8(세)	1.1	1.3		
	9-11	1.5	1.9		
	12-14	2.2	2.7		
	15-18	2.6	3.2		
	19-29	2.4	3.1		
	30-49	2.4	3.1		
	50-64	2.3	2.8		
	65-74	2.2	2.8		
	75 이상	2.1	2.7		
여자	6-8(세)	1.0	1.3		
	9-11	1.5	1.8		
	12-14	1.9	2.4		
	15-18	2.0	2.4		
	19-29	2.0	2.5		
	30-49	1.9	2.4		
	50-64	1.9	2.3		
	65-74	1.8	2.2		
	75 이상	1.7	2.1		
임신부[1]		2.5	3.1		
수유부		2.8	3.5		

[1] 아미노산: 임신부, 수유부-부가량 아닌 절대 필요량임.

류신 추천하는 1일 섭취량 : 3.5g

결핍증 : 근육 손실, 감염에 대한 저항력 감소, 체력이 감소하고 피로감

증가, 어린이와 청소년 성장 지연

과잉증 : 구토, 설사, 복부 팽만감, 신장에 부담, 류신만 과도하게 섭취 시

아미노산 불균형으로 다른 필수 아미노산 흡수 저해

(6) 이소류신 <small>(필수 아미노산)</small>

성별	연령	이소류신(g/일)			
		평균 필요량	권장 섭취량	충분 섭취량	상한 섭취량
영아	0-5(개월)			0.6	
	6-11	0.3	0.4		
유아	1-2(세)	0.3	0.4		
	3-5	0.3	0.4		
남자	6-8(세)	0.5	0.6		
	9-11	0.7	0.8		
	12-14	1.0	1.2		
	15-18	1.2	1.4		
	19-29	1.0	1.4		
	30-49	1.1	1.4		
	50-64	1.1	1.3		
	65-74	1.0	1.3		
	75 이상	0.9	1.1		
여자	6-8(세)	0.5	0.6		
	9-11	0.6	0.7		
	12-14	0.8	1.0		
	15-18	0.8	1.1		
	19-29	0.8	1.1		
	30-49	0.8	1.0		
	50-64	0.8	1.1		
	65-74	0.7	0.9		
	75 이상	0.7	0.9		
임신부[1]		1.1	1.4		
수유부		1.3	1.7		

[1]아미노산: 임신부, 수유부-부가량 아닌 절대 필요량임.

이소류신 추천하는 1일 섭취량 : 1.7g

결핍증 : 근육 손실, 체력 감소와 피로, 성장 지연, 면역 기능 저하

과잉증 : 소화기관 불편, 구토, 설사, 복부 팽만감, 다른 필수 아미노산 흡수

　　　　방해, 신장과 간에 부담

(7) 발린 <small>(필수 아미노산)</small>

성별	연령	발린(g/일)			
		평균 필요량	권장 섭취량	충분 섭취량	상한 섭취량
영아	0-5(개월)			0.6	
	6-11	0.3	0.5		
유아	1-2(세)	0.4	0.5		
	3-5	0.4	0.5		
남자	6-8(세)	0.6	0.7		
	9-11	0.9	1.1		
	12-14	1.2	1.6		
	15-18	1.5	1.8		
	19-29	1.4	1.7		
	30-49	1.4	1.7		
	50-64	1.3	1.6		
	65-74	1.3	1.6		
	75 이상	1.1	1.5		
여자	6-8(세)	0.6	0.7		
	9-11	0.9	1.1		
	12-14	1.2	1.4		
	15-18	1.2	1.4		
	19-29	1.1	1.3		
	30-49	1.0	1.4		
	50-64	1.1	1.3		
	65-74	0.9	1.3		
	75 이상	0.9	1.1		
임신부 [1]		1.4	1.7		
수유부		1.6	1.9		

[1] 아미노산: 임신부, 수유부-부가량 아닌 절대 필요량임.

발린 추천하는 1일 섭취량 : 1.9g

결핍증 : 단백질 합성이 안되어 단백질 결핍증 유발, 근육 손실, 체력 감소 및 피로, 면역 기능 저하, 신경 장애로 불안, 집중력 감소 등

과잉증 : 다른 필수 아미노산 흡수 방해, 구토, 설사, 복부 팽만감, 신장과 간에 부담

(8) 라이신 <small>(필수 아미노산)</small>

성별	연령	라이신(g/일)			
		평균 필요량	권장 섭취량	충분 섭취량	상한 섭취량
영아	0-5(개월)			0.7	
	6-11	0.6	0.8		
유아	1-2(세)	0.6	0.7		
	3-5	0.6	0.8		
남자	6-8(세)	1.0	1.2		
	9-11	1.4	1.8		
	12-14	2.1	2.5		
	15-18	2.3	2.9		
	19-29	2.5	3.1		
	30-49	2.4	3.1		
	50-64	2.3	2.9		
	65-74	2.2	2.9		
	75 이상	2.2	2.7		
여자	6-8(세)	0.9	1.3		
	9-11	1.3	1.6		
	12-14	1.8	2.2		
	15-18	1.8	2.2		
	19-29	2.1	2.6		
	30-49	2.0	2.5		
	50-64	1.9	2.4		
	65-74	1.8	2.3		
	75 이상	1.7	2.1		
임신부 [1]		2.3	2.9		
수유부		2.5	3.1		

[1] 아미노산: 임신부, 수유부-부가량 아닌 절대 필요량임.

라이신 추천하는 1일 섭취량 : 3.1g

결핍증 : 성장 지연, 근육 손실, 호르몬, 효소, 항체 생성 감소, 피부 건조,
두드러기, 여드름, 면역 기능 저하, 피로감

과잉증 : 구토, 설사, 복부 팽만감, 신장에 부담, 다른 필수 아미노산 흡수
방해

(9) 페닐알라닌+티로신 (필수 아미노산)

성별	연령	페닐알라닌+티로신(g/일)			
		평균 필요량	권장 섭취량	충분 섭취량	상한 섭취량
영아	0-5(개월)			0.9	
	6-11	0.5	0.7		
유아	1-2(세)	0.5	0.7		
	3-5	0.6	0.7		
남자	6-8(세)	0.9	1.0		
	9-11	1.3	1.6		
	12-14	1.8	2.3		
	15-18	2.1	2.6		
	19-29	2.8	3.6		
	30-49	2.9	3.5		
	50-64	2.7	3.4		
	65-74	2.5	3.3		
	75 이상	2.5	3.1		
여자	6-8(세)	0.8	1.0		
	9-11	1.2	1.5		
	12-14	1.6	1.9		
	15-18	1.6	2.0		
	19-29	2.3	2.9		
	30-49	2.3	2.8		
	50-64	2.2	2.7		
	65-74	2.1	2.6		
	75 이상	2.0	2.4		
임신부[1]		3.0	3.8		
수유부		3.7	4.7		

[1] 아미노산: 임신부, 수유부-부가량 아닌 절대 필요량임.

페닐알라닌+티로신 추천하는 1일 섭취량 : 4.7g

결핍증 : 체중 감소, 머리카락과 피부 색 변화, 발육 지연, 피로, 신경계
　　　　문제, 감정 변화, 기억력 감소, 집중력 저하

과잉증 : 구토, 설사, 복부 팽만감, 다른 필수 아미노산 흡수 방해, 신장과
　　　　간에 부담

(10) 트레오닌 (필수 아미노산)

성별	연령	트레오닌(g/일)			
		평균 필요량	권장 섭취량	충분 섭취량	상한 섭취량
영아	0-5(개월)			0.5	
	6-11	0.3	0.4		
유아	1-2(세)	0.3	0.4		
	3-5	0.3	0.4		
남자	6-8(세)	0.5	0.6		
	9-11	0.7	0.9		
	12-14	1.0	1.3		
	15-18	1.2	1.5		
	19-29	1.1	1.5		
	30-49	1.2	1.5		
	50-64	1.1	1.4		
	65-74	1.1	1.3		
	75 이상	1.0	1.3		
여자	6-8(세)	0.5	0.6		
	9-11	0.6	0.9		
	12-14	0.9	1.2		
	15-18	0.9	1.2		
	19-29	0.9	1.1		
	30-49	0.9	1.2		
	50-64	0.8	1.1		
	65-74	0.8	1.0		
	75 이상	0.7	0.9		
임신부[1]		1.2	1.5		
수유부		1.3	1.7		

[1] 아미노산: 임신부, 수유부-부가량 아닌 절대 필요량임.

트레오닌 추천하는 1일 섭취량 : 1.7g

결핍증 : 성장 지연, 근육 손실, 면역 기능 저하, 피로감, 간 기능 이상

과잉증 : 복부 팽만감, 설사, 구토, 다른 필수 아미노산 흡수 방해, 신장과
간에 부담

(11) 트립토판 (필수 아미노산)

성별	연령	트립토판(g/일)			
		평균 필요량	권장 섭취량	충분 섭취량	상한 섭취량
영아	0-5(개월)			0.2	
	6-11	0.1	0.1		
유아	1-2(세)	0.1	0.1		
	3-5	0.1	0.1		
남자	6-8(세)	0.1	0.2		
	9-11	0.2	0.2		
	12-14	0.3	0.3		
	15-18	0.3	0.4		
	19-29	0.3	0.3		
	30-49	0.3	0.3		
	50-64	0.3	0.3		
	65-74	0.2	0.3		
	75 이상	0.2	0.3		
여자	6-8(세)	0.1	0.2		
	9-11	0.2	0.2		
	12-14	0.2	0.3		
	15-18	0.2	0.3		
	19-29	0.2	0.3		
	30-49	0.2	0.3		
	50-64	0.2	0.3		
	65-74	0.2	0.2		
	75 이상	0.2	0.2		
임신부[1]		0.3	0.4		
수유부		0.4	0.5		

[1] 아미노산: 임신부, 수유부-부가량 아닌 절대 필요량임.

트립토판 추천하는 1일 섭취량 : 0.5g

결핍증 : 신경 전달물질인 세로토닌과 멜라토닌 합성 저해, 불안 및 우울,

흥분, 수면-각성 주기 문제, 식욕 증가, 기억력 저하

과잉증 : 다른 필수 아미노산 흡수 방해, 구토, 설사, 복부 팽만감,

신장과 간에 부담, 세로토닌 증후군으로 과도하게 증가하여

심장박동이 빨라지거나 고혈압, 두통, 불안, 흥분

(12) 히스티딘 (필수 아미노산)

성별	연령	히스티딘(g/일)			
		평균 필요량	권장 섭취량	충분 섭취량	상한 섭취량
영아	0-5(개월)			0.1	
	6-11	0.2	0.3		
유아	1-2(세)	0.2	0.3		
	3-5	0.2	0.3		
남자	6-8(세)	0.3	0.4		
	9-11	0.5	0.6		
	12-14	0.7	0.9		
	15-18	0.9	1.0		
	19-29	0.8	1.0		
	30-49	0.7	1.0		
	50-64	0.7	0.9		
	65-74	0.7	1.0		
	75 이상	0.7	0.8		
여자	6-8(세)	0.3	0.4		
	9-11	0.4	0.5		
	12-14	0.6	0.7		
	15-18	0.6	0.7		
	19-29	0.6	0.8		
	30-49	0.6	0.8		
	50-64	0.6	0.7		
	65-74	0.5	0.7		
	75 이상	0.5	0.7		
임신부		0.8	1.0		
수유부		0.8	1.1		

히스티딘 추천하는 1일 섭취량 : 1.1g

결핍증 : 피부 건조, 발진, 피부염, 감염에 대한 저항력 감소, 빈혈, 소화

　　　　기능 저하

과잉증 : 구토, 설사, 복부 팽만감, 다른 필수 아미노산 흡수 저해, 신장과

　　　　간에 부담, 알레르기 반응 증가

┃ 표 1 ┃ 필수/비필수아미노산 및 조건적 필수아미노산[1]

필수아미노산	비필수아미노산	조건적 필수아미노산[2]	조건적 필수아미노산의 전구체
메티오닌	알라닌	아르기닌	글루타민/글루탐산, 아스파르트산
류신	아스파르트산	시스테인	메티오닌, 세린
이소류신	아스파라긴	티로신	글루탐산/암모니아
발린	글루탐산	글루타민	세린, 콜린
라이신	세린	글라이신	글루탐산
페닐알라닌		프롤린	페닐알라닌
히스티딘		타우린	
트레오닌			
트립토판			

[1] 메티오닌: methionine, 류신: leucine, 이소류신: isoleucine, 발린: valine, 라이신: lysine, 페닐알라닌: phenylalanine, 히스티딘: histidine, 트레오닌: threonine, 트립토판: tryptophan, 알라닌: alanine, 아스파르트산: aspartic acid, 아스파라긴: asparagine, 글루탐산: glutamic acid, 세린: serine, 아르기닌: arginine, 시트룰린: citrulline, 오르니틴: ornithine, 시스테인: cysteine, 티로신: tyrosine, 글루타민: glutamine, 글라이신: glycine, 프롤린: proline, 타우린: taurine, 콜린: choline

[2] 조건적 필수아미노산: 합성이 그 대사적 요구를 충족시키지 못할 경우 식이를 통한 공급이 필요한 아미노산

앞서 제시한 필수아미노산은 체내에서 합성이 불가능하여 반드시 외부에서 섭취해야만 합니다.

예외적으로 '조건적 필수아미노산'이 있고, 시중에서 각종 제품으로 공급되고 있는 것이 많은데, 예를 들어 아르기닌, 타우린 등이 있습니다.

이들은 필수로 공급할 필요는 없으니 참고하시기 바라며, 영양 공급이 원활하지 않을 때 섭취하면 효과를 볼 수 있습니다.

(13) 비타민 A (레티놀)

성별	연령	비타민 A(μg RAE/일)			
		평균 필요량	권장 섭취량	충분 섭취량	상한 섭취량
영아	0-5(개월)			350	600
	6-11			450	600
유아	1-2(세)	190	250		600
	3-5	230	300		750
남자	6-8(세)	310	450		1,100
	9-11	410	600		1,600
	12-14	530	750		2,300
	15-18	620	850		2,800
	19-29	570	800		3,000
	30-49	560	800		3,000
	50-64	530	750		3,000
	65-74	510	700		3,000
	75 이상	500	700		3,000
여자	6-8(세)	290	400		1,100
	9-11	390	550		1,600
	12-14	480	650		2,300
	15-18	450	650		2,800
	19-29	460	650		3,000
	30-49	450	650		3,000
	50-64	430	600		3,000
	65-74	410	600		3,000
	75 이상	410	600		3,000
임신부		+50	+70		3,000
수유부		+350	+490		3,000

비타민 A (레티놀) 추천하는 1일 섭취량 : $700\mu g$ RAE

결핍증 : 어두운 곳에서의 시력 저하, 밤맹 발생, 피부 건조, 각막건조증,
비타민 A 결핍성 피부염, 면역 기능 저하, 성장 지연

과잉증 : 피부 건조, 가려움증, 탈모, 입술 피부 균열, 발진, 뼈와 관절 통증,
두통, 신경성 피로, 불면증, 신경과민, 구토, 설사, 식욕 부진, 간의
손상

비타민 A (레티놀)	(남자) 실제 섭취량	(남자) 권장 섭취량	(여자) 실제 섭취량	(여자) 권장 섭취량
19~29세	436.5	800	376.0	650
30~49세	480.2	800	367.8	650
50~64세	447.6	750	406.1	600
65~74세	355.3	700	312.3	600
75세 이상	273.1	700	178.5	600

비타민 A (레티놀)	(남자) 필요량 미만 섭취 인구 비율	(여자) 필요량 미만 섭취 인구 비율
19~29세	80.1 %	79.1 %
30~49세	74.2 %	76.5 %
50~64세	75.2 %	75.4 %
65~74세	81.9 %	80.1 %
75세 이상	87.3 %	91.6 %

비타민 A (레티놀)	(남자) 비타민 A 보충제 섭취 비율	(여자) 비타민 A 보충제 섭취 비율
19~29세	0.8 %	3.0 %
30~49세	5.5 %	7.4 %
50~64세	7.3 %	8.3 %
65~74세	5.4 %	6.8 %
75세 이상	1.1 %	0.0 %

비타민 A 흡수율 (생체이용률)

전구체 비타민 A는 일반적으로 70~90%로 높은 편입니다.

(14) 비타민 B$_1$ (티아민)

성별	연령	티아민(mg/일)			
		평균 필요량	권장 섭취량	충분 섭취량	상한 섭취량
영아	0-5(개월)			0.2	
	6-11			0.3	
유아	1-2(세)	0.4	0.4		
	3-5	0.4	0.5		
남자	6-8(세)	0.5	0.7		
	9-11	0.7	0.9		
	12-14	0.9	1.1		
	15-18	1.1	1.3		
	19-29	1.0	1.2		
	30-49	1.0	1.2		
	50-64	1.0	1.2		
	65-74	0.9	1.1		
	75 이상	0.9	1.1		
여자	6-8(세)	0.6	0.7		
	9-11	0.8	0.9		
	12-14	0.9	1.1		
	15-18	0.9	1.1		
	19-29	0.9	1.1		
	30-49	0.9	1.1		
	50-64	0.9	1.1		
	65-74	0.8	1.0		
	75 이상	0.7	0.8		
임신부		+0.4	+0.4		
수유부		+0.3	+0.4		

비타민 B$_1$ (티아민) 추천하는 1일 섭취량 : 1.2mg

결핍증 : 피로, 근육 약화, 경련, 심장박동 빨라짐, 부정맥, 기억력 저하,

집중력 감소, 심장 기능 장애와 신경계 증상 유발

과잉증 : 알레르기 반응, 피부 발진, 가려움, 호흡 곤란, 구토, 설사, 두통,

혼란, 불안, 심장 박동수 증가 등

비타민 B₁ (티아민)	(남자) 필요량 미만 섭취 인구 비율	(여자) 필요량 미만 섭취 인구 비율
19~29세	11.2 %	16.6 %
30~49세	6.2 %	12.2 %
50~64세	5.9 %	5.9 %
65~74세	7.6 %	9.4 %
75세 이상	19.6 %	14.4 %

티아민은 비교적 잘 섭취하고는 있지만, 여전히 최소한의 필요량 미만으로 섭취하는 인구 비율이 조금 있는 편입니다.

개인의 식습관과 몸 상태에 따라 필요한 양이 더 늘어날 수 있기에 챙겨주시는 것이 좋습니다.

비타민 B₁ 흡수율 (생체이용률)

식품에 함유된 비타민B군의 평균 흡수율은 50~90%입니다.

티아민의 체내 저장량이 매우 적고 생물학적 반감기가 9-18일 정도이므로 결핍 예방을 위해서는 지속적인 티아민 섭취가 필요합니다.

티아민의 흡수율은 다른 영양소나 성분에 의해 영향을 크게 받지 않으나 만성적인 알코올 섭취는 티아민의 흡수를 3분의 1정도로 저해합니다.

(15) 비타민 B$_2$ (리보플라빈)

성별	연령	리보플라빈(mg/일)			
		평균 필요량	권장 섭취량	충분 섭취량	상한 섭취량
영아	0-5(개월)			0.3	
	6-11			0.4	
유아	1-2(세)	0.4	0.5		
	3-5	0.5	0.6		
남자	6-8(세)	0.7	0.9		
	9-11	0.9	1.1		
	12-14	1.2	1.5		
	15-18	1.4	1.7		
	19-29	1.3	1.5		
	30-49	1.3	1.5		
	50-64	1.3	1.5		
	65-74	1.2	1.4		
	75 이상	1.1	1.3		
여자	6-8(세)	0.6	0.8		
	9-11	0.8	1.0		
	12-14	1.0	1.2		
	15-18	1.0	1.2		
	19-29	1.0	1.2		
	30-49	1.0	1.2		
	50-64	1.0	1.2		
	65-74	0.9	1.1		
	75 이상	0.8	1.0		
임신부		+0.3	+0.4		
수유부		+0.4	+0.5		

비타민 B$_2$ (리보플라빈) 추천하는 1일 섭취량 : 1.4mg

결핍증 : 구내염, 혀와 입술에 염증 발생, 피부 건조, 가려움, 피부염, 눈
　　　　 건조, 눈꺼풀 염증, 눈물 분비 증가, 식욕 부진, 체중 감소, 빈혈

과잉증 : 구토, 설사, 복통, 피부 발진, 가려움, 호흡 곤란, 눈의 민감성의
　　　　 증가로 강한 빛에 대한 과민 반응

비타민 B2 (리보플라빈)	(남자) 필요량 미만 섭취 인구 비율	(여자) 필요량 미만 섭취 인구 비율
19~29세	41.5 %	36.6 %
30~49세	37.5 %	37.6 %
50~64세	42.7 %	40.4 %
65~74세	55.8 %	57.6 %
75세 이상	65.0 %	72.7 %

비타민 B2 (리보플라빈)	(남자) 비타민 B2 보충제 섭취 비율	(여자) 비타민 B2 보충제 섭취 비율
19~29세	4.4 %	데이터 없음
30~49세	데이터 없음	데이터 없음
50~64세	데이터 없음	데이터 없음
65~74세	19.8 %	22.9 %
75세 이상	9.7 %	10.0 %

비타민 B$_2$ 흡수율 (생체이용률)

동양 사람들의 식습관에서 리보플라빈의 생체이용률은 약 60~65% 수준이라는 보고가 있습니다.

(16) 비타민 B$_3$ (니아신)

성별	연령	니아신(mg NE/일)[1]			
		평균 필요량	권장 섭취량	충분 섭취량	상한섭취량 니코틴산/니코틴아미드
영아	0-5(개월)			2	
	6-11			3	
유아	1-2(세)	4	6		10/180
	3-5	5	7		10/250
남자	6-8(세)	7	9		15/350
	9-11	9	11		20/500
	12-14	11	15		25/700
	15-18	13	17		30/800
	19-29	12	16		35/1000
	30-49	12	16		35/1000
	50-64	12	16		35/1000
	65-74	11	14		35/1000
	75 이상	10	13		35/1000
여자	6-8(세)	7	9		15/350
	9-11	9	12		20/500
	12-14	11	15		25/700
	15-18	11	14		30/800
	19-29	11	14		35/1000
	30-49	11	14		35/1000
	50-64	11	14		35/1000
	65-74	10	13		35/1000
	75 이상	9	12		35/1000
임신부		+3	+4		35/1000
수유부		+2	+3		35/1000

[1] 1 mg NE(니아신 당량) = 1 mg 니아신 = 60 mg 트립토판

비타민 B$_3$ (니아신) 추천하는 1일 섭취량 : 15mg

결핍증 : 피로감, 피부 건조, 피부염 등의 피부 문제, 입과 혀의 염증,

　　　　궤양, 식욕 부진, 설사, 복통, 담력 감소, 우울증, 헷갈림

과잉증 : 얼굴이나 몸의 홍조, 발진, 간 손상, 저혈당, 안구건조증, 어지러움,

　　　　두통 등

비타민 B3 (니아신)	(남자) 필요량 미만 섭취 인구 비율	(여자) 필요량 미만 섭취 인구 비율
19~29세	28.4 %	41.1 %
30~49세	22.6 %	35.9 %
50~64세	27.2 %	40.1 %
65~74세	32.1 %	44.2 %
75세 이상	42.5 %	64.0 %

비타민 B3 (니아신)	(남자) 비타민 B3 보충제 섭취 비율	(여자) 비타민 B3 보충제 섭취 비율
19~29세	4.2 %	10.0 %
30~49세	10.6 %	12.8 %
50~64세	13.2 %	18.1 %
65~74세	15.4 %	21.2 %
75세 이상	9.1 %	7.6 %

비타민 B$_3$ 흡수율 (생체이용률)

곡류의 니아신은 대부분 난소화성 당질과 결합되어 있어 흡수율이 30% 정도로 낮습니다. 육류, 간, 콩, 식품 강화 또는 첨가에 사용하는 니아신은 곡류의 30%보다는 높습니다.

(17) 비타민 B₅ (판토텐산)

성별	연령	판토텐산(mg/일)			
		평균 필요량	권장 섭취량	충분 섭취량	상한 섭취량
영아	0-5(개월)			1.7	
	6-11			1.9	
유아	1-2(세)			2	
	3-5			2	
남자	6-8(세)			3	
	9-11			4	
	12-14			5	
	15-18			5	
	19-29			5	
	30-49			5	
	50-64			5	
	65-74			5	
	75 이상			5	
여자	6-8(세)			3	
	9-11			4	
	12-14			5	
	15-18			5	
	19-29			5	
	30-49			5	
	50-64			5	
	65-74			5	
	75 이상			5	
임신부				+1.0	
수유부				+2.0	

비타민 B₅ (판토텐산) 추천하는 1일 섭취량 : 5mg

결핍증 : 피로감, 불면증, 우울증, 불안감, 피부 건조증, 발진, 피부염, 식욕
　　　부진, 설사, 복통 등 소화계통 문제

과잉증 : 복부 통증, 설사, 구토, 심장박동이 빨라짐, 알레르기 반응으로
　　　피부 발진, 가려움, 호흡 곤란, 식욕 부진 등

비타민 B5 (판토텐산)	(남자) 실제 섭취량	(남자) 충분 섭취량	(여자) 실제 섭취량	(여자) 충분 섭취량
20~49세	2.7	5.0	2.1	5.0
50~64세	2.2	5.0	1.4	5.0
65~74세	1.7	5.0	1.4	5.0
75세 이상	1.3	5.0	1.0	5.0

판토텐산의 평균 필요량에 미치지 못하는 인구의 비율과 보충제 섭취 비율에 대한 연구 자료는 아직까지 부족합니다.

다만 위 섭취량 비교에서 볼 수 있듯이, 충분 섭취량 대비 실제 섭취량이 절반에도 미치지 못하는 수준이라는 것을 알 수 있습니다.

비타민 B$_5$ 흡수율 (생체이용률)

판토텐산의 체내 평균 흡수율은 50-70% 정도로 보고 되었습니다.

(18) 비타민 B₆ (피리독신)

성별	연령	비타민 B₆(mg/일)			
		평균 필요량	권장 섭취량	충분 섭취량	상한 섭취량
영아	0-5(개월)			0.1	
	6-11			0.3	
유아	1-2(세)	0.5	0.6		20
	3-5	0.6	0.7		30
남자	6-8(세)	0.7	0.9		45
	9-11	0.9	1.1		60
	12-14	1.3	1.5		80
	15-18	1.3	1.5		95
	19-29	1.3	1.5		100
	30-49	1.3	1.5		100
	50-64	1.3	1.5		100
	65-74	1.3	1.5		100
	75 이상	1.3	1.5		100
여자	6-8(세)	0.7	0.9		45
	9-11	0.9	1.1		60
	12-14	1.2	1.4		80
	15-18	1.2	1.4		95
	19-29	1.2	1.4		100
	30-49	1.2	1.4		100
	50-64	1.2	1.4		100
	65-74	1.2	1.4		100
	75 이상	1.2	1.4		100
임신부		+0.7	+0.8		100
수유부		+0.7	+0.8		100

비타민 B₆ (피리독신) 추천하는 1일 섭취량 : 1.5mg

결핍증 : 피부염, 피부 건조, 입술 균열, 입 안과 혀에 염증, 부어오름, 혼란, 우울증, 불안, 신경염, 빈혈, 감염에 대한 저항력 감소

과잉증 : 신경 손상, 손과 발의 민감성 감소, 근육 약화, 피부 발진, 복부 통증, 식욕 부진, 구토, 설사, 가려움, 호흡 곤란, 태양 빛에 민감

비타민 B6 (피리독신)	(남자) 필요량 미만 섭취 인구 비율	(여자) 필요량 미만 섭취 인구 비율
19~29세	데이터 없음	데이터 없음
30~49세	데이터 없음	데이터 없음
50~64세	데이터 없음	데이터 없음
65~74세	42.9 %	63.4 %
75세 이상	65.3 %	71.4 %

피리독신의 필요량 미만으로 섭취하는 인구의 비율에 대한 연구 자료는 아직까지 부족합니다. 단지 65세 이상의 노인을 대상으로 한 연구 결과만 알 수 있었습니다.

비타민 B$_6$ 흡수율 (생체이용률)

연구 결과에서 볼 수 있었던 것은 다음과 같습니다.

50 mg의 피리독살이나 피리독살인산을 투여했을 때 70% 정도가 24시간 내에 소변으로 배출된 반면 피리독신은 40% 정도 소변으로 배출되었다고 합니다.

(19) 비타민 B$_7$ (비오틴)

성별	연령	비오틴(µg/일)			
		평균 필요량	권장 섭취량	충분 섭취량	상한 섭취량
영아	0-5(개월)			5	
	6-11			7	
유아	1-2(세)			9	
	3-5			12	
남자	6-8(세)			15	
	9-11			20	
	12-14			25	
	15-18			30	
	19-29			30	
	30-49			30	
	50-64			30	
	65-74			30	
	75 이상			30	
여자	6-8(세)			15	
	9-11			20	
	12-14			25	
	15-18			30	
	19-29			30	
	30-49			30	
	50-64			30	
	65-74			30	
	75 이상			30	
임신부				+0	
수유부				+5	

비타민 B$_7$ (비오틴) 추천하는 1일 섭취량 : 30μg

결핍증 : 피부 건조, 발진, 색소 침착, 머리카락 손상, 탈모, 손톱 약화, 피로,
우울증, 흥분, 신경통, 근육 통증, 식욕 부진, 구토, 설사 등
과잉증 : 피부 발진, 식욕 부진, 구토, 설사, 혈당 수치 너무 낮아짐, 갑상선
호르몬 검사나 심장 질환 진단 테스트에 오류 발생 가능성

비타민 B7 (비오틴)	(남자) 실제 섭취량	(남자) 충분 섭취량	(여자) 실제 섭취량	(여자) 충분 섭취량
19~29세	12.2	30	데이터 없음	30
30~49세	데이터 없음	30	데이터 없음	30
50~64세	데이터 없음	30	데이터 없음	30
65~74세	데이터 없음	30	데이터 없음	30
75세 이상	데이터 없음	30	데이터 없음	30

비오틴을 현재 어느 정도의 수준으로 섭취하고 있는지에 대한 연구 자료는 아직까지 부족합니다. 다만 19~29세 남성에게서 충분 섭취량의 절반 미만 수준으로 실제 섭취를 한다는 것으로 미루어 볼 때, 별도의 보충이 필요할 것으로 보입니다.

그리고 충분 섭취량에 미치지 못하게 섭취하는 인구의 비율도 연구된 바가 없어 데이터가 부족한 상황입니다.

비타민 B_7 흡수율 (생체이용률)

식품에 따라 비오틴의 생체이용률은 많은 차이가 나며, 대부분 식품의 생체이용률은 50% 미만입니다.

(20) 비타민 B₉ (엽산)

성별	연령	엽산(µg DFE/일)[1]			
		평균 필요량	권장 섭취량	충분 섭취량	상한 섭취량[2]
영아	0-5(개월) 6-11			65 90	
유아	1-2(세) 3-5	120 150	150 180		300 400
남자	6-8(세) 9-11 12-14 15-18 19-29 30-49 50-64 65-74 75 이상	180 250 300 330 320 320 320 320 320	220 300 360 400 400 400 400 400 400		500 600 800 900 1,000 1,000 1,000 1,000 1,000
여자	6-8(세) 9-11 12-14 15-18 19-29 30-49 50-64 65-74 75 이상	180 250 300 330 320 320 320 320 320	220 300 360 400 400 400 400 400 400		500 600 800 900 1,000 1,000 1,000 1,000 1,000
	임신부	+200	+220		1,000
	수유부	+130	+150		1,000

[1] Dietary Folate Equivalents,
가임기 여성의 경우 400 µg/일의 엽산보충제 섭취를 권장함
[2] 엽산의 상한섭취량은 보충제 또는 강화식품의 형태로 섭취한 µg/일에 해당됨.

비타민 B₉ (엽산) 추천하는 1일 섭취량 : 400µg

결핍증 : 입과 혀의 염증, 부어오름, 성장 지연, 간 기능 이상, 면역 저항

감소, 우울증, 기억력 감소

과잉증 : 위장 장애로 식욕 부진, 설사, 복부 통증, 불면증, 흥분, 불안,

우울증, 피부 발진, 신경 손상

비타민 B9 (엽산)	(남자) 실제 섭취량	(남자) 권장 섭취량	(여자) 실제 섭취량	(여자) 권장 섭취량
19~29세	289.12	400	226.1	400
30~49세	335.14	400	263.14	400
50~64세	374.69	400	317.64	400
65세 이상	359.88	400	289.14	400

비타민 B9 (엽산)	(남자) 필요량 미만 섭취 인구 비율	(여자) 필요량 미만 섭취 인구 비율
19~69세	38.4 %	54.4 %
임신기	데이터 없음	44.7 %

비타민 B9 흡수율 (생체이용률)

식품 중에는 다양한 형태의 엽산이 들어있으며, 자연적으로 들어 있는 엽산은 약 50% 정도 흡수됩니다.

체내 엽산 저장량의 0.5-1%가 매일 배설되며, 대장내 세균에 의해 합성된 엽산은 대변으로 배설됩니다.

엽산은 특히 여러 가지 약에 의해 흡수나 이용이 방해되는 것으로 알려져 있습니다. 비스테로이드계 항소염제인 아스피린, 이부프로펜, 아세트아미노펜, 항경련제, 류마티스성 관절염 치료제인 메토트렉세이트 등이 있습니다.

(21) 비타민 B_{12} (코발라민)

| 성별 | 연령 | 비타민 B_{12}(µg/일) | | | |
		평균 필요량	권장 섭취량	충분 섭취량	상한 섭취량
영아	0-5(개월)			0.3	
	6-11			0.5	
유아	1-2(세)	0.8	0.9		
	3-5	0.9	1.1		
남자	6-8(세)	1.1	1.3		
	9-11	1.5	1.7		
	12-14	1.9	2.3		
	15-18	2.0	2.4		
	19-29	2.0	2.4		
	30-49	2.0	2.4		
	50-64	2.0	2.4		
	65-74	2.0	2.4		
	75 이상	2.0	2.4		
여자	6-8(세)	1.1	1.3		
	9-11	1.5	1.7		
	12-14	1.9	2.3		
	15-18	2.0	2.4		
	19-29	2.0	2.4		
	30-49	2.0	2.4		
	50-64	2.0	2.4		
	65-74	2.0	2.4		
	75 이상	2.0	2.4		
임신부		+0.2	+0.2		
수유부		+0.3	+0.4		

비타민 B_{12} (코발라민) 추천하는 1일 섭취량 : 2.4µg

결핍증 : 피로, 약화, 빈혈, 혼란, 기억력 저하, 균형 장애, 감각 손실, 신경
　　　　손상, 혀의 통증, 구강 염증, 우울증

과잉증 : 피부 발진, 가려움, 심장 박동 빨라짐, 혈관 확장시켜 어지러움,
　　　　복부 통증, 설사, 구토 등

코발라민에 대한 섭취량, 미달 섭취 인구 비율 등 연구 자료는 아직 충분하지 않습니다.

비타민 B_{12} 참고할 사항

신체 내 비타민 B12 풀 크기에 상관없이 비타민 B12 풀의 0.1-0.2%가 매일 손실된다고 알려져 있고, 건강을 유지할 수 있는 최소한의 비타민 B12 풀 크기는 300 μg으로 추정됩니다.

비타민 B12 풀이 1,000 μg인 사람을 기준으로 하면 하루에 0.1%인 1 μg 씩 손실될 것이고, 섭취한 비타민 B12의 50%가 흡수된다고 한다면, 매일 2 μg을 섭취해야 풀 크기를 유지할 수 있다고 합니다.

비타민 B_{12} 흡수율 (생체이용률)

식품으로 섭취한 비타민 B12의 흡수율은 50% 정도입니다.

섭취량이 클수록 흡수율은 감소하며 내적인자의 용량을 초과하게 되면 크게 감소합니다. 고농도의 비타민 B12를 섭취하면 농도경사에 의한 확산에 의하여 약 1% 정도 흡수된다고 합니다.

(22) 비타민 C (아스코르빈산)

성별	연령	비타민 C(mg/일)			
		평균 필요량	권장 섭취량	충분 섭취량	상한 섭취량
영아	0-5(개월)			40	
	6-11			55	
유아	1-2(세)	30	40		340
	3-5	35	45		510
남자	6-8(세)	40	50		750
	9-11	55	70		1,100
	12-14	70	90		1,400
	15-18	80	100		1,600
	19-29	75	100		2,000
	30-49	75	100		2,000
	50-64	75	100		2,000
	65-74	75	100		2,000
	75 이상	75	100		2,000
여자	6-8(세)	40	50		750
	9-11	55	70		1,100
	12-14	70	90		1,400
	15-18	80	100		1,600
	19-29	75	100		2,000
	30-49	75	100		2,000
	50-64	75	100		2,000
	65-74	75	100		2,000
	75 이상	75	100		2,000
임신부		+10	+10		2,000
수유부		+35	+40		2,000

비타민 C (아스코르빈산) 추천하는 1일 섭취량 : 100mg

결핍증 : 피로감, 기분 저하, 우울증, 근육 및 관절 통증, 멍, 상처가 잘 낫지

않음, 면역계 약화, 괴혈병, 피부 및 잇몸 출혈, 빈혈

과잉증 : 신장 결석(돌 생김), 빈뇨, 철분 과다, 구역질, 속쓰림, 복부 통증,

설사, 구토

비타민 C (아스코르빈산)	(남자) 실제 섭취량	(남자) 권장 섭취량	(여자) 실제 섭취량	(여자) 권장 섭취량
19~29세	94.39	100	52.36	100
30~49세	70.44	100	58.48	100
50~64세	68.36	100	69.86	100
65세 이상	64.52	100	62.52	100

평균 필요량 미만 섭취자 비율

50~64세의 여성을 제외하고, 평균필요량 75mg/일 미만 섭취자 비율은 50%가 넘는다고 합니다.

75세 이상 노인에서는 평균필요량보다 적게 섭취하는 사람의 비율이 75% 이상으로 높다고 합니다.

비타민 C 흡수율 (생체이용률)

비타민 C를 하루에 30-180 mg으로 섭취하는 경우 흡수율은 약 70-90% 정도이지만, 1 g 이상으로 섭취하는 경우에는 흡수율이 50% 미만으로 감소하고, 나머지 대사되지 않은 아스코르빈산은 소변으로 배설됩니다.

(23) 비타민 D (칼시페롤)

성별	연령	비타민 D(μg/일)			
		평균 필요량	권장 섭취량	충분 섭취량	상한 섭취량
영아	0-5(개월)			5	25
	6-11			5	25
유아	1-2(세)			5	30
	3-5			5	35
남자	6-8(세)			5	40
	9-11			5	60
	12-14			10	100
	15-18			10	100
	19-29			10	100
	30-49			10	100
	50-64			10	100
	65-74			15	100
	75 이상			15	100
여자	6-8(세)			5	40
	9-11			5	60
	12-14			10	100
	15-18			10	100
	19-29			10	100
	30-49			10	100
	50-64			10	100
	65-74			15	100
	75 이상			15	100
임신부				+0	100
수유부				+0	100

비타민 D (칼시페롤) 추천하는 1일 섭취량 : $10\mu g$

결핍증 : 뼈 통증, 근육 통증, 피로감, 우울증, 기분 저하, 면역 저하,

　　　　골다공증, 뼈가 약해짐

과잉증 : 식욕 부진, 구토, 설사, 갈증, 빈뇨, 심장 박동 변화, 고혈압, 신장에

　　　　손상을 줌

평균적으로 섭취를 어느 정도로 하는 지에 대한 데이터는 없습니다. 체내에서 비타민 D가 합성되는 부분도 있기 때문에 측정이 어렵습니다.

충분 섭취량과 상한 섭취량은 '햇빛 노출을 최소화한다'는 전제를 하여 섭취량을 제시한 것입니다.

비타민 D (칼시페롤)	(남자) 충분 섭취량	(여자) 충분 섭취량
19~29세	10 (400 IU)	10 (400 IU)
30~49세	10 (400 IU)	10 (400 IU)
50~64세	10 (400 IU)	10 (400 IU)
65~74세	15 (600 IU)	15 (600 IU)
75세 이상	15 (600 IU)	15 (600 IU)

평균 필요량 미만 섭취자 비율

50세 이상의 고령자, 특히 폐경 후 여성에서의 비타민 D 부족은 50% 이상 증가하고, 전 세계적으로 폐경 후 여성의 약 64%가 비타민 D 부족으로 나타나고 있습니다.

비타민 D 흡수율 (생체이용률)

정제, 캡슐과 같은 형태는 흡수 속도가 다릅니다. 기존의 비타민 D_3의 경구 흡수 효율은 대략 50%입니다.

D_2~D_4가 상업적으로 이용가능한 형태의 비타민 D이고, 흡수율은 D_5를 제외하고는 비슷합니다.

(24) 비타민 E (토코페롤)

성별	연령	비타민 E(mg α-TE/일)			
		평균 필요량	권장 섭취량	충분 섭취량	상한 섭취량
영아	0-5(개월)			3	
	6-11			4	
유아	1-2(세)			5	100
	3-5			6	150
남자	6-8(세)			7	200
	9-11			9	300
	12-14			11	400
	15-18			12	500
	19-29			12	540
	30-49			12	540
	50-64			12	540
	65-74			12	540
	75 이상			12	540
여자	6-8(세)			7	200
	9-11			9	300
	12-14			11	400
	15-18			12	500
	19-29			12	540
	30-49			12	540
	50-64			12	540
	65-74			12	540
	75 이상			12	540
임신부				+0	540
수유부				+3	540

비타민 E 추천하는 1일 섭취량 : 11mg α-TE

결핍증 : 신경 손상, 근육 약화, 균형 및 협응력 장애, 면역 감소, 시력 저하,
불임

과잉증 : 복부 통증, 설사, 구토, 혈액 응고를 방해하여 출혈 가능성 증가,
피로감, 두통, 혼란, 심장 질환

비타민 E (토코페롤)	(남자) 실제 섭취량	(남자) 충분 섭취량	(여자) 실제 섭취량	(여자) 충분 섭취량
성인 전체	7.5	12	6.4	12
65~74세	7.9	12	5.9	12
75세 이상	5.3	12	4.1	12

실제 섭취량에 대한 연구로는, 성인 전체에 대한 것과 65세 이상의 노인에 대한 연구가 있습니다. 두 연구 모두 실제 섭취량이 충분 섭취량에 절반 정도 수준이라는 같은 경향을 보입니다.

비타민 E 흡수율 (생체이용률)

비타민 E의 흡수는 20-80% 정도로 그 폭이 크며 평균적으로 30-50%로 보고되었습니다.

비타민 E의 흡수는 지방 섭취량이 증가하면 높아지고 지방이 없는 상태에서는 약 10%의 흡수율을 보이는 것으로 알려져 있습니다.

(25) 비타민 K

성별	연령	비타민 K(µg/일)			
		평균 필요량	권장 섭취량	충분 섭취량	상한 섭취량
영아	0-5(개월)			4	
	6-11			6	
유아	1-2(세)			25	
	3-5			30	
남자	6-8(세)			40	
	9-11			55	
	12-14			70	
	15-18			80	
	19-29			75	
	30-49			75	
	50-64			75	
	65-74			75	
	75 이상			75	
여자	6-8(세)			40	
	9-11			55	
	12-14			65	
	15-18			65	
	19-29			65	
	30-49			65	
	50-64			65	
	65-74			65	
	75 이상			65	
임신부				+0	
수유부				+0	

비타민 K 추천하는 1일 섭취량 : 70µg

결핍증 : 작은 부상이나 상처에 출혈이 지속, 피부 및 점막 출혈, 멍, 소화계
　　　　출혈, 골다공증

과잉증 : 와파린 같은 항응고제 효과 감소, 심장 질환, 뇌졸중, 피부색이나
　　　　피부 상태의 변화, 식욕 부진, 구토, 복부 통증

비타민 K의 2가지 종류

비타민 K의 주요 급원인 비타민 K_1은 '필로퀴논'이라고 불리며, 식물의 광합성 작용에 의해 합성되어 녹색잎채소에 풍부합니다.

비타민 K_2는 '메나퀴논'이라고 불리며, 장내 박테리아에 의해 합성이 가능하여 동물성 식품이 주요 급원이며 특히 발효식품, 치즈 등에 풍부합니다.

비타민 K 흡수율 (생체이용률)

다른 지방과 함께 섭취하면 흡수율이 증가하고 지방의 흡수를 방해하는 요인들에 의해 흡수가 저해되기 때문에 흡수율이 10-80%로 차이가 매우 크다. 평균적으로는 30% 내외라고 알려져 있습니다.

또한 여성호르몬인 에스트로겐 (estrogen)은 비타민 K_1의 흡수를 촉진하므로 여성의 비타민 K_1 흡수율이 남성보다 높습니다.

(26) 칼슘 (Ca, Calcium)

성별	연령	칼슘(mg/일)			
		평균 필요량	권장 섭취량	충분 섭취량	상한 섭취량
영아	0-5(개월)			250	1,000
	6-11			300	1,500
유아	1-2(세)	400	500		2,500
	3-5	500	600		2,500
남자	6-8(세)	600	700		2,500
	9-11	650	800		3,000
	12-14	800	1,000		3,000
	15-18	750	900		3,000
	19-29	650	800		2,500
	30-49	650	800		2,500
	50-64	600	750		2,000
	65-74	600	700		2,000
	75 이상	600	700		2,000
여자	6-8(세)	600	700		2,500
	9-11	650	800		3,000
	12-14	750	900		3,000
	15-18	700	800		3,000
	19-29	550	700		2,500
	30-49	550	700		2,500
	50-64	600	800		2,000
	65-74	600	800		2,000
	75 이상	600	800		2,000
임신부		+0	+0		2,500
수유부		+0	+0		2,500

칼슘 (Ca, Calcium) 추천하는 1일 섭취량 : 700mg

결핍증 : 뼈와 이가 약화됨, 골다공증, 성장 부진, 근육 경련, 떨림, 감각
　　　　이상, 심장 박동 변화, 우울증, 불안, 기억력 저하, 지방 흡수 장애

과잉증 : 식욕 부진, 구토, 복부 통증, 설사, 갈증, 빈뇨, 근육 약화, 떨림,
　　　　감각 이상, 고칼슘혈증, 신장 결석, 혼란, 기억 손실, 불안, 불면증

칼슘	(남자) 실제 섭취량	(남자) 권장 섭취량	(여자) 실제 섭취량	(여자) 권장 섭취량
19~29세	409.40	800	361.20	700
30~49세	527.15	800	432.41	700
50~64세	579.88	750	481.31	800
65세 이상	534.20	700	429.22	800

칼슘의 평균 필요량에 미치지 못하는 인구의 비율과 보충제 섭취 비율에 대한 연구 자료는 아직까지 부족합니다.

다만 위 섭취량 비교에서 볼 수 있듯이, 충분 섭취량 대비 실제 섭취량이 절반정도 밖에 되지 않는 수준이라는 것을 알 수 있습니다.

칼슘 흡수율 (생체이용률)

한국인 성인 남자와 여자의 칼슘 흡수율은 30% 정도라고 합니다.
50-64세 여성의 흡수율은 25%로 보고되었습니다.

(27) 크롬 (Cr, Chromium)

성별	연령	크롬(μg/일)			
		평균 필요량	권장 섭취량	충분 섭취량	상한 섭취량
영아	0-5(개월)			0.2	
	6-11			4.0	
유아	1-2(세)			10	
	3-5			10	
남자	6-8(세)			15	
	9-11			20	
	12-14			30	
	15-18			35	
	19-29			30	
	30-49			30	
	50-64			30	
	65-74			25	
	75 이상			25	
여자	6-8(세)			15	
	9-11			20	
	12-14			20	
	15-18			20	
	19-29			20	
	30-49			20	
	50-64			20	
	65-74			20	
	75 이상			20	
임신부				+5	
수유부				+20	

크롬 (Cr, Chromium) 추천하는 1일 섭취량 : 30μg

결핍증 : 혈당 조절 이상, 체중 및 식욕 증가, 지방 대사 이상, 고지혈증,
심혈관 질환, 피로감, 신경질, 우울증

과잉증 : 소화불량, 구토, 설사, 위통, 두통, 현기증, 불안, 혼란, 신경질, 피부
발진, 가려움, 붉은 반점, 신장과 간에 부담

크롬에 대해서는 평균 필요량에 미치지 못하는 인구의 비율과 보충제 섭취 비율, 실제 섭취량에 대한 연구 자료는 없습니다.

크롬 흡수율 (생체이용률)

식사를 통하여 공급된 크롬은 거의 흡수되지 않고 변으로 98% 정도가 배설되므로 그 흡수율은 매우 낮아 겉보기 흡수율은 0.5-2% 이내로 보고되어 있습니다.

크롬은 인체에 극미량 존재하므로 생체이용율을 연구하기는 쉽지 않지만 디니코틴산(dinicotinic acid), 디글리신(diglycine), 시스테인, 글루탐산 복합체로 섭취한 크롬이 다른 형태의 복합체에 비하여 잘 흡수되어 신장에 보유된 크롬 농도가 더 높다는 연구가 있었습니다.

식사 요인으로 비타민 C는 크롬의 흡수율을 높여주며, 아연은 상호 경쟁관계에 있어 아연부족 쥐에서 크롬의 흡수율이 증가하였다는 보고가 있었습니다.

또한 탄수화물 급원으로 전분을 섭취하였을 때가 단당류를 섭취하였을 때 보다 조직의 크롬 보유량이 높았고, 단당류들은 소변으로의 크롬 배출을 촉진시킨다는 연구결과가 보고되었습니다.

(28) 칼륨 (K, Potassium)

성별	연령	칼륨(mg/일)			
		평균 필요량	권장 섭취량	충분 섭취량	상한 섭취량
영아	0-5(개월)			400	
	6-11			700	
유아	1-2(세)			1,900	
	3-5			2,400	
남자	6-8(세)			2,900	
	9-11			3,400	
	12-14			3,500	
	15-18			3,500	
	19-29			3,500	
	30-49			3,500	
	50-64			3,500	
	65-74			3,500	
	75 이상			3,500	
여자	6-8(세)			2,900	
	9-11			3,400	
	12-14			3,500	
	15-18			3,500	
	19-29			3,500	
	30-49			3,500	
	50-64			3,500	
	65-74			3,500	
	75 이상			3,500	
임신부				+0	
수유부				+400	

칼륨 (K, Potassium) 추천하는 1일 섭취량 : 3,500mg

결핍증 : 불규칙한 근육 수축, 경련, 근육 약화, 불규칙한 심장 박동, 피로감,

체력 감소, 변비, 복부 통증, 혼란, 불안, 기억력 감소

과잉증 : 심장 박동 이상, 근육 약화, 경련, 불규칙한 근육 수축, 복부 통증,

구토, 피로감, 호흡 곤란, 신경계 손상

	(남자) 실제 나트륨 섭취량	(남자) 실제 칼륨 섭취량	나트륨 대비 적정 칼륨	(여자) 실제 나트륨 섭취량	(여자) 실제 칼륨 섭취량	나트륨 대비 적정 칼륨
19~29세	4,363.1	2,732.1	7,271.8	3,165.3	2,111.6	5,275.5
30~49세	4,977.0	3,042.0	8,295.0	3,486.4	2,362.0	5,810.6
50~64세	4,742.7	3,171.9	7,904.5	3,110.0	2,685.8	5,183.3
65~74세	3,947.8	3,227.2	6,579.6	2,926.0	2,734.9	4,876.6
75세 이상	3,356.7	2,490.0	5,594.5	2,205.7	1,764.5	3,676.1

식사를 통한 바람직한 나트륨과 칼륨 섭취의 몰비는 1:1로, 이에 따른 나트륨 충분섭취량으로 제안된 나트륨 1,500 mg(65 mmol)에 대한 적절한 칼륨 수준은 2,500 mg(65 mmol)입니다. (즉, 1 : 1.67의 mg비율)

칼륨	(남자) 실제 섭취량	(남자) 충분 섭취량	(여자) 실제 섭취량	(여자) 충분 섭취량
19~29세	2,732.1	3,500	2,111.6	3,500
30~49세	3,042.0	3,500	2,362.0	3,500
50~64세	3,171.9	3,500	2,685.8	3,500
65~74세	3,227.2	3,500	2,734.9	3,500
75세 이상	2,490.0	3,500	1,764.5	3,500

칼륨	(남자) 필요량 미만 섭취 인구 비율	(여자) 필요량 미만 섭취 인구 비율
19~29세	73.7 %	88.6 %
30~49세	61.6 %	77.7 %
50~64세	58.4 %	68.1 %
65~74세	60.4 %	77.9 %
75세 이상	82.5 %	96.8 %

칼륨 흡수율 (생체이용률)

건강한 성인의 경우 식사로 섭취한 칼륨의 약 90%가 소장에서 수동확산을 통해 흡수되어 사용됩니다.

정상적인 상태에서 흡수된 칼륨의 약 90%가 소변으로 배설되며 나머지 10%는 주로 대변으로 배설되고 매우 소량이 땀을 통해 손실됩니다.

(29) 마그네슘 (Mg, Magnesium)

성별	연령	마그네슘(mg/일)			
		평균 필요량	권장 섭취량	충분 섭취량	상한 섭취량[1]
영아	0-5(개월)			25	
	6-11			55	
유아	1-2(세)	60	70		60
	3-5	90	110		90
남자	6-8(세)	130	150		130
	9-11	190	220		190
	12-14	260	320		270
	15-18	340	410		350
	19-29	300	360		350
	30-49	310	370		350
	50-64	310	370		350
	65-74	310	370		350
	75 이상	310	370		350
여자	6-8(세)	130	150		130
	9-11	180	220		190
	12-14	240	290		270
	15-18	290	340		350
	19-29	230	280		350
	30-49	240	280		350
	50-64	240	280		350
	65-74	240	280		350
	75 이상	240	280		350
임신부		+30	+40		350
수유부		+0	+0		350

[1] 식품외 급원의 마그네슘에만 해당

마그네슘 (Mg, Magnesium) 추천하는 1일 섭취량 : 315mg

결핍증 : 근육 경련, 통증, 불안감, 불면증, 변비, 식욕 부진, 구토, 설사, 심장
　　　　질환, 골다공증, 두통, 편두통, 불규칙한 심장 박동

과잉증 : 설사, 복통, 구토, 혈압 저하, 불규칙한 심장 박동, 신기능 저하,
　　　　졸음과 혼동, 호흡곤란

마그네슘	(남자) 실제 섭취량	(남자) 권장 섭취량	(여자) 실제 섭취량	(여자) 권장 섭취량
19~29세	276.3	360	232.1	280
30~49세	305.1	370	246.5	280
50~64세	294.4	370	245.7	280
60~69세	285.0	370	311.0	280
65세 이상	81.4	370	69.8	280

마그네슘	(남자) 필요량 미만 섭취 인구 비율	(여자) 필요량 미만 섭취 인구 비율
19~29세	50.72 %	59.04 %
30~49세	44.26 %	57.01 %
50~64세	55.81 %	52.88 %
65~74세	데이터 없음	데이터 없음
75세 이상	데이터 없음	데이터 없음

마그네슘 흡수율 (생체이용률)

마그네슘의 흡수율은 일상적인 식사에서 약 30-40%이며, 마그네슘 섭취량에 반비례합니다.

(30) 철 (Fe, Iron)

성별	연령	철(mg/일)			
		평균 필요량	권장 섭취량	충분 섭취량	상한 섭취량
영아	0-5(개월)			0.3	40
	6-11	4	6		40
유아	1-2(세)	4.5	6		40
	3-5	5	7		40
남자	6-8(세)	7	9		40
	9-11	8	11		40
	12-14	11	14		40
	15-18	11	14		45
	19-29	8	10		45
	30-49	8	10		45
	50-64	8	10		45
	65-74	7	9		45
	75 이상	7	9		45
여자	6-8(세)	7	9		40
	9-11	8	10		40
	12-14	12	16		40
	15-18	11	14		45
	19-29	11	14		45
	30-49	11	14		45
	50-64	6	8		45
	65-74	6	8		45
	75 이상	5	7		45
임신부		+8	+10		45
수유부		+0	+0		45

철 (Fe, Iron) 추천하는 1일 섭취량 : 12mg

결핍증 : 피로, 피부와 입술이 창백해짐, 빠른 심장 박동, 집중력 감소,

　　　　머리카락 얇아짐, 손톱 모양 변화, 두통, 혀 통증, 운동 능력 저하

과잉증 : 복부 통증, 식욕 부진, 구토, 설사, 피로감, 기운 없음, 심장 박동

　　　　변화, 피부 색깔이 갈색으로 변함, 관절 통증

철	(남자) 필요량 미만 섭취 인구 비율	(여자) 필요량 미만 섭취 인구 비율
19~29세	14.0 %	53.1 %
30~49세	6.7 %	36.1 %
50~64세	7.7 %	4.9 %
65~74세	5.2 %	8.1 %
75세 이상	13.3 %	13.6 %

철	(남자) 철 보충제 섭취 비율	(여자) 철 보충제 섭취 비율
19~29세	2.8 %	6.4 %
30~49세	5.5 %	9.4 %
50~64세	8.0 %	12.5 %
65~74세	9.7 %	15.8 %
75세 이상	7.7 %	4.4 %

철 흡수율 (생체이용률)

식이 중 비헴철의 흡수율은 4-10% 정도이며, 헴철은 체내 저장량과 무관하게 섭취한 양의 20-30% 정도가 흡수됩니다.

평균적으로는 철 흡수율이 12% 정도라고 합니다.

(31) 아연 (Zn, Zinc)

성별	연령	아연(mg/일)			
		평균 필요량	권장 섭취량	충분 섭취량	상한 섭취량
영아	0-5(개월)			2	
	6-11	2	3		
유아	1-2(세)	2	3		6
	3-5	3	4		9
남자	6-8(세)	5	5		13
	9-11	7	8		19
	12-14	7	8		27
	15-18	8	10		33
	19-29	9	10		35
	30-49	8	10		35
	50-64	8	10		35
	65-74	8	9		35
	75 이상	7	9		35
여자	6-8(세)	4	5		13
	9-11	7	8		19
	12-14	6	8		27
	15-18	7	9		33
	19-29	7	8		35
	30-49	7	8		35
	50-64	6	8		35
	65-74	6	7		35
	75 이상	6	7		35
임신부		+2.0	+2.5		35
수유부		+4.0	+5.0		35

아연 (Zn, Zinc) 추천하는 1일 섭취량 : 8.5mg

결핍증 : 면역 체계 약화, 상처 치유 지연, 성장 지연, 야맹증, 피부 건조증,

가려움증, 식욕 감소, 기억력 감소, 집중력 저하

과잉증 : 복부 통증, 구토, 설사, 기분 장애, 피로감, 기억력 감소, 철 부족

증상, 면역 체계 약화, 구리 흡수 방해로 부족 증상

아연 흡수율 (생체이용률)

일반적으로 식품이나 식이 내 아연의 10-40% 정도가 흡수됩니다.

(32) 구리 (Cu, Copper)

성별	연령	구리(µg/일)			
		평균 필요량	권장 섭취량	충분 섭취량	상한 섭취량
영아	0-5(개월)			240	
	6-11			330	
유아	1-2(세)	220	290		1,700
	3-5	270	350		2,600
남자	6-8(세)	360	470		3,700
	9-11	470	600		5,500
	12-14	600	800		7,500
	15-18	700	900		9,500
	19-29	650	850		10,000
	30-49	650	850		10,000
	50-64	650	850		10,000
	65-74	600	800		10,000
	75 이상	600	800		10,000
여자	6-8(세)	310	400		3,700
	9-11	420	550		5,500
	12-14	500	650		7,500
	15-18	550	700		9,500
	19-29	500	650		10,000
	30-49	500	650		10,000
	50-64	500	650		10,000
	65-74	460	600		10,000
	75 이상	460	600		10,000
임신부		+100	+130		10,000
수유부		+370	+480		10,000

구리 (Cu, Copper) 추천하는 1일 섭취량 : $800\mu g$

결핍증 : 빈혈, 떨림, 감각 이상, 근육 약화, 면역 체계 약화, 골격 이상, 뼈
약화, 피부 색깔 변화, 머리카락의 색깔 및 품질 저하

과잉증 : 복부 통증, 구토, 설사, 머리 통증, 불안, 기억력 저하, 신장 문제,
심장 및 혈관 문제, 간 질환 유발

구리 흡수율 (생체이용률)

구리의 섭취량이 1,000µg/일 이하로 낮을 때는 50% 정도이지만,
섭취량이 5,000µg/일을 넘으면 20% 정도로 낮습니다.

임산부와 수유부의 흡수율은 65% 정도입니다.

(33) 망간 (Mn, Manganese)

성별	연령	망간(mg/일)			
		평균 필요량	권장 섭취량	충분 섭취량	상한 섭취량
영아	0-5(개월)			0.01	
	6-11			0.8	
유아	1-2(세)			1.5	2.0
	3-5			2.0	3.0
남자	6-8(세)			2.5	4.0
	9-11			3.0	6.0
	12-14			4.0	8.0
	15-18			4.0	10.0
	19-29			4.0	11.0
	30-49			4.0	11.0
	50-64			4.0	11.0
	65-74			4.0	11.0
	75 이상			4.0	11.0
여자	6-8(세)			2.5	4.0
	9-11			3.0	6.0
	12-14			3.5	8.0
	15-18			3.5	10.0
	19-29			3.5	11.0
	30-49			3.5	11.0
	50-64			3.5	11.0
	65-74			3.5	11.0
	75 이상			3.5	11.0
임신부				+0	11.0
수유부				+0	11.0

망간 (Mn, Manganese) 추천하는 1일 섭취량 : 3mg

결핍증 : 뼈 약화, 관절 통증, 피부 건조, 혈당 조절 문제, 불안, 집중력 감소,
기억력 저하, 면역 약화

과잉증 : 운동 조절 능력 감소, 떨림, 근육 경직, 혈압 상승, 신장 기능 이상,
복부 통증, 설사, 구토, 불안, 기분 변화, 불면증

망간에 대한 참고 사항

국내에서 최근 발표된 연구에서는 끓이거나 삶고 굽는 등의 조리과정에서 식품 중의 망간 함량이 감소할 수 있음을 제시하였습니다.

일례로 생 애호박 kg 당 망간 함량은 1.5 mg이었으나 끓이고, 삶거나 전자레인지 조리가 3분정도만 진행되어도 kg 당 망간 함량이 1.2 mg으로 감소하였고 조리시간이 지나면서 더 감소하는 것으로 보고되었습니다.

'김'의 경우에도 생김을 굽거나 조미하는 등의 조리과정에서 망간 함량이 감소하는 경향을 보여, 식품의 조리 후 실제로 섭취하게 되는 망간의 양도 고려하여 식사 계획을 세워야 합니다.

망간 흡수율 (생체이용률)

망간의 흡수율은 약 1-5% 정도이며, 망간의 흡수 효율은 망간 섭취가 낮을 때는 증가하고 섭취가 많을 때는 감소하는데, 이러한 흡수 특성의 기전은 보고되지 않았습니다.

남자는 여자보다 망간 흡수율이 낮은데, 이는 남성이 여성보다 체내 철 보유 수준이 높기 때문인 것으로 보입니다.

(34) 요오드 (I, Iodine)

성별	연령	요오드(μg/일)			
		평균 필요량	권장 섭취량	충분 섭취량	상한 섭취량
영아	0-5(개월)			130	250
	6-11			180	250
유아	1-2(세)	55	80		300
	3-5	65	90		300
남자	6-8(세)	75	100		500
	9-11	85	110		500
	12-14	90	130		1,900
	15-18	95	130		2,200
	19-29	95	150		2,400
	30-49	95	150		2,400
	50-64	95	150		2,400
	65-74	95	150		2,400
	75 이상	95	150		2,400
여자	6-8(세)	75	100		500
	9-11	80	110		500
	12-14	90	130		1,900
	15-18	95	130		2,200
	19-29	95	150		2,400
	30-49	95	150		2,400
	50-64	95	150		2,400
	65-74	95	150		2,400
	75 이상	95	150		2,400
임신부		+65	+90		
수유부		+130	+190		

요오드 (I, Iodine) 추천하는 1일 섭취량 : 150μg

결핍증 : 갑상선 기능 저하증, 갑상선 비대증, 체중 증가, 피로감, 머리카락과

피부 건조, 성장 및 발달 지연, 임신 중 태아에 지능 발달 장애

과잉증 : 갑상선 기능 저하증, 갑상선염, 요오드 중독으로 구토, 설사,

발열, 심장 박동수 증가, 체중 증가, 피로감, 머리카락의 건조

증상과 두피 가려움증

요오드에 대한 참고 사항

전세계적으로 29-50%의 인구는 요오드 결핍상태라고 추정됩니다. 특히 산악지역이나 바다에 접하지 않은 내륙지역에서는 특히 결핍에 대한 문제가 여전히 심각하다고 보고되고 있습니다.

그러나 요오드에 대해서 실제 연령대별로 섭취량, 보충제 섭취 인구의 비율 등 세분화된 연구 데이터는 부족합니다.

요오드 흡수율 (생체이용률)

하루 24시간 동안 요오드가 갑상선으로 흡수되는 정도는 5-20%로 알려져 있습니다.

식사를 통해 섭취된 요오드는 대사과정을 통해 소변으로 90% 이상 배설된다고 합니다.

(35) 셀레늄 (Se, Selenium)

성별	연령	셀레늄(μg/일)			
		평균 필요량	권장 섭취량	충분 섭취량	상한 섭취량
영아	0-5(개월)			9	40
	6-11			12	65
유아	1-2(세)	19	23		70
	3-5	22	25		100
남자	6-8(세)	30	35		150
	9-11	40	45		200
	12-14	50	60		300
	15-18	55	65		300
	19-29	50	60		400
	30-49	50	60		400
	50-64	50	60		400
	65-74	50	60		400
	75 이상	50	60		400
여자	6-8(세)	30	35		150
	9-11	40	45		200
	12-14	50	60		300
	15-18	55	65		300
	19-29	50	60		400
	30-49	50	60		400
	50-64	50	60		400
	65-74	50	60		400
	75 이상	50	60		400
임신부		+3	+4		400
수유부		+9	+10		400

셀레늄 (Se, Selenium) 추천하는 1일 섭취량 : $55\mu g$

결핍증 : 면역체계 약화, 갑상선 문제, 불안, 우울, 불임, 두드러기,
　　　　머리카락과 손톱 문제, 관절과 근육 통증, 근육 감소, 심근증,
　　　　내장 기능 저하

과잉증 : 손발의 간질거림, 저림, 구토, 설사, 피부 발진, 머리카락과 손톱
　　　　약화, 불안, 흥분, 불면, 호흡 곤란

셀레늄 흡수율 (생체이용률)

셀레늄은 화학적 형태에 따라 흡수 수준의 차이를 보입니다.

식품의 주요형태인 유기형태의 셀레노메티오닌은 90% 이상이 메티오닌이 흡수되는 경로로 흡수되고, 셀레노시스테인의 흡수에 대해서는 잘 알려져 있지 않지만, 흡수는 매우 잘 되는 것으로 보입니다.

또 하나의 무기 형태인 셀레나이트(selenite, SeO_3^{2-})는 장내 물질들과 상호작용이 있어 흡수율의 변화가 크다고 합니다.

그러나 일단 흡수가 되면 조직에서 보유하는 것은 셀레네이트(selenate) 보다 더 잘 되고, 셀레나이트의 흡수율은 보통 50% 보다는 높다고 합니다.

(36) 몰리브덴 (Mo, Molybdenum)

성별	연령	몰리브덴(μg/일)			
		평균 필요량	권장 섭취량	충분 섭취량	상한 섭취량
영아	0-5(개월)				
	6-11				
유아	1-2(세)	8	10		100
	3-5	10	12		150
남자	6-8(세)	15	18		200
	9-11	15	18		300
	12-14	25	30		450
	15-18	25	30		550
	19-29	25	30		600
	30-49	25	30		600
	50-64	25	30		550
	65-74	23	28		550
	75 이상	23	28		550
여자	6-8(세)	15	18		200
	9-11	15	18		300
	12-14	20	25		400
	15-18	20	25		500
	19-29	20	25		500
	30-49	20	25		500
	50-64	20	25		450
	65-74	18	22		450
	75 이상	18	22		450
임신부		+0	+0		500
수유부		+3	+3		500

몰리브덴 (Mo, Molybdenum) 추천하는 1일 섭취량 : 25μg

결핍증 : 성장 지연, 뇌기능 장애, 호흡 곤란, 체중 감소, 정신 혼미, 부종,
　　　　무기력, 완전 정맥영양하는 환자에게 심장과 호흡률 증가

과잉증 : 구토, 설사, 신기능 장애, 성장 장애, 빈혈, 관절 통증과 심장
　　　　박동수 증가

몰리브덴 흡수율 (생체이용률)

식사 내 흡수율은 성인은 최소 40%에서 100%까지 흡수되는데, 식품에
따라 흡수율이 다를 수 있습니다. 예를 들어, 대두에 들어 있는 몰리브덴을
섭취 시 흡수율이 떨어진다는 사실이 보고되었습니다.

지금까지 36가지의 필수 영양소의 결핍증, 과잉증, 그리고 추천 일일 섭취량을 다루었습니다. 하지만 여기서 의문이 하나 생겨야 합니다.

"인, 나트륨, 염소, 불소 어디갔어?"

맞습니다. 위 4가지까지 포함해야 필수 영양소입니다. 하지만 이를 언급하지 않은 이유가 있습니다. 아래에서 하나씩 살펴보겠습니다.

(1) 인 (P, Phosphorus)

성별	연령	인(mg/일)			
		평균 필요량	권장 섭취량	충분 섭취량	상한 섭취량
영아	0-5(개월)			100	
	6-11			300	
유아	1-2(세)	380	450		3,000
	3-5	480	550		3,000
남자	6-8(세)	500	600		3,000
	9-11	1,000	1,200		3,500
	12-14	1,000	1,200		3,500
	15-18	1,000	1,200		3,500
	19-29	580	700		3,500
	30-49	580	700		3,500
	50-64	580	700		3,500
	65-74	580	700		3,500
	75 이상	580	700		3,000
여자	6-8(세)	480	550		3,000
	9-11	1,000	1,200		3,500
	12-14	1,000	1,200		3,500
	15-18	1,000	1,200		3,500
	19-29	580	700		3,500
	30-49	580	700		3,500
	50-64	580	700		3,500
	65-74	580	700		3,500
	75 이상	580	700		3,000
임신부		+0	+0		3,000
수유부		+0	+0		3,500

인도 물론 필요하긴 합니다.

다만, 이미 많이 섭취하고 있다는 사실을 모르는 분들이 많을 것입니다.

인산염의 형태로 각종 가공식품과 백미, 돼지고기, 닭고기, 멸치, 우유, 계란 등 다양한 음식에 많이 함유되어 있어 별도로 섭취하지 않아도 될 정도입니다.

인 (Phosphorus)	남자 실제 섭취량	여자 실제 섭취량	남/여 권장 섭취량
19~29세	1231.9	916.9	700
30~49세	1251.6	897.5	700
50~64세	1225.1	966.0	700
65세 이상	1089.3	831.9	700

국민 영양 통계에 따르면, 권장 섭취량을 훨씬 상회하는 수준으로 이미 잘 섭취하고 있기 때문에, 인을 인위적으로 섭취하는 데 제한이 있지 않다면 신경쓰지 않아도 됩니다.

(2) 나트륨 (Na, Sodium)

성별	연령	나트륨(mg/일)			
		필요 추정량	권장 섭취량	충분 섭취량	만성질환위험 감소섭취량
영아	0-5(개월)			110	
	6-11			370	
유아	1-2(세)			810	1,200
	3-5			1,000	1,600
남자	6-8(세)			1,200	1,900
	9-11			1,500	2,300
	12-14			1,500	2,300
	15-18			1,500	2,300
	19-29			1,500	2,300
	30-49			1,500	2,300
	50-64			1,500	2,300
	65-74			1,300	2,100
	75 이상			1,100	1,700
여자	6-8(세)			1,200	1,900
	9-11			1,500	2,300
	12-14			1,500	2,300
	15-18			1,500	2,300
	19-29			1,500	2,300
	30-49			1,500	2,300
	50-64			1,500	2,300
	65-74			1,300	2,100
	75 이상			1,100	1,700
임신부				1,500	2,300
수유부				1,500	2,300

나트륨에 표기된 특이한 것이 있죠. '만성질환 위험 감소섭취량' 입니다. 이미 우리는 식사, 간식 등을 통해 너무 많이 나트륨을 섭취하고 있습니다. 좀 적게 먹으라는 표시를 한 것이죠.

그래서 '저염식'이 건강 트렌드로 부상되었던 것입니다. 식사를 평소 잘 한다면 별도로 섭취할 필요성이 전혀 없다고 봐도 무방합니다.

(3) 염소 (Cl, Chlorine)

성별	연령	염소(mg/일)			
		평균 필요량	권장 섭취량	충분 섭취량	상한 섭취량
영아	0-5(개월)			170	
	6-11			560	
유아	1-2(세)			1,200	
	3-5			1,600	
남자	6-8(세)			1,900	
	9-11			2,300	
	12-14			2,300	
	15-18			2,300	
	19-29			2,300	
	30-49			2,300	
	50-64			2,300	
	65-74			2,100	
	75 이상			1,700	
여자	6-8(세)			1,900	
	9-11			2,300	
	12-14			2,300	
	15-18			2,300	
	19-29			2,300	
	30-49			2,300	
	50-64			2,300	
	65-74			2,100	
	75 이상			1,700	
임신부				2,300	
수유부				2,300	

염소에는 충분 섭취량만 있긴 합니다. 하지만 우리가 이것도 많이 섭취하고 있습니다. 성분명만으로는 감이 오지 않을 수 있으니 아래를 보시면 확 와닿을 것 같습니다.

소금 = 염화나트륨 = NaCl = Na(나트륨) + Cl(염소)

소금으로 우리는 나트륨과 염소를 이미 많이 섭취하고 있으니 더 이상 먹을 필요성은 없겠죠?

(4) 불소 (F, Fluorine)

성별	연령	불소(mg/일)			
		평균 필요량	권장 섭취량	충분 섭취량	상한 섭취량
영아	0-5(개월)			0.01	0.6
	6-11			0.4	0.8
유아	1-2(세)			0.6	1.2
	3-5			0.9	1.8
남자	6-8(세)			1.3	2.6
	9-11			1.9	10.0
	12-14			2.6	10.0
	15-18			3.2	10.0
	19-29			3.4	10.0
	30-49			3.4	10.0
	50-64			3.2	10.0
	65-74			3.1	10.0
	75 이상			3.0	10.0
여자	6-8(세)			1.3	2.5
	9-11			1.8	10.0
	12-14			2.4	10.0
	15-18			2.7	10.0
	19-29			2.8	10.0
	30-49			2.7	10.0
	50-64			2.6	10.0
	65-74			2.5	10.0
	75 이상			2.3	10.0
임신부				+0	10.0
수유부				+0	10.0

불소라고 하면 가장 쉽게 떠올리는 것은 아마도 '치약'일 겁니다. 우리는 양치질을 하면서 치약을 보통 쓰는데, 이를 통해 섭취하게 되는 양이 적지 많습니다.

그리고 불소는 다양한 음식에 들어 있어서 이미 충분히 먹고 있습니다. 예를 들면, 바닷물 물고기(대구, 연어, 가자미, 바지락, 굴 등), 녹차 등의 차, 물(수돗물 및 일부 브랜드 생수), 밀, 쌀, 옥수수, 토마토, 당근, 감자, 우유, 시리얼, 주스 등이 있습니다.

그래서 결론적으로는?

앞서 하나씩 살펴본 필수 영양소들의 추천 섭취량을 정리해 보겠습니다.

	성분	1일 추천 섭취량
	탄수화물	-
	지방	-
	단백질	-
	식이섬유	25 g
지방산	리놀레산	-
	알파-리놀렌산	1.7 g
	EPA+DHA	500 mg
필수 아미노산	메티오닌+시스테인	1.5 g
	류신	3.5 g
	이소류신	1.7 g
	발린	1.9 g
	라이신	3.1 g
	페닐알라닌+티로신	4.7 g
	트레오닌	1.7 g
	트립토판	0.5 g
	히스티딘	1.1 g

탄수화물, 지방, 단백질, 리놀레산(오메가-6), 인, 나트륨, 염소, 불소는 식사를 통해 보통 충분히 섭취하므로, 여기서는 별도로 추가 섭취를 권장하는 성분과 그 양을 나타낸 것입니다. 건강기능식품 등을 통해 말이죠.

	성분	1일 추천 섭취량
비타민	비타민 A (레티놀)	700 ㎍ RAE
	비타민 B1 (티아민)	1.2 mg
	비타민 B2 (리보플라빈)	1.4 mg
	비타민 B3 (니아신)	15 mg
	비타민 B5 (판토텐산)	5 mg
	비타민 B6 (피리독신)	1.5 mg
	비타민 B7 (비오틴)	30 ㎍
	비타민 B9 (엽산)	400 ㎍
	비타민 B12 (코발라민)	2.4 ㎍
	비타민 C (아스코르빈산)	100 mg
	비타민 D (칼시페롤)	10 ㎍
	비타민 E (토코페롤)	11 mg α-TE
	비타민 K	70 ㎍

	성분	1일 추천 섭취량
무기질	나트륨 (Na)	–
	염소 (Cl)	–
	불소 (F)	–
	칼슘 (Ca)	700 mg
	인 (P)	–
	칼륨 (K)	3,500 mg
	마그네슘 (Mg)	315 mg
	철 (Fe)	12 mg
	아연 (Zn)	8.5 mg
	구리 (Cu)	800 ㎍
	망간 (Mn)	3 mg
	요오드 (I)	150 ㎍
	셀레늄 (Se)	55 ㎍
	몰리브덴 (Mo)	25 ㎍
	크롬 (Cr)	30 ㎍

필수 영양소를 잘 섭취했다면
나의 상황과 몸 상태에 따라
추가로 필요한 부분을
보조할 수 있는 것이
'기능성 원료'입니다.

필수 영양소 외
건강기능식품의 '기능성 원료'

지금까지 살펴본 것은 우리가 꼭 섭취해야 할 필수 영양소였습니다.

하지만, 정말 많은 종류의 건강기능식품과 일반식품들이 있죠. 홍경천추출물, 스피루리나, 글루코사민, 포스파티딜세린, 은행잎추출물 등... 이것들은 '기능성 원료'라고 부릅니다. 그리고 기능성 원료는 '고시된 원료'와 '개별인정형 원료'로 나뉩니다.

그런데, 그냥 필수 영양소는 꼭 매일 먹어야 하는 것이고, '기능성 원료라는 것은 따로 있구나'라고 생각하시면 됩니다.

새로 발견하여 개발하고, 인정 받은 것이 '개별인정형 원료' 이고, 6년 간 해당 업체에서만 사용이 가능합니다. 6년이 지나면 '고시형 원료'로 바뀐다고 보시면 됩니다. 이렇게 '고시형 원료'로 바뀌면 다른 업체들도 모두 사용이 가능해지는, 일종의 '특허 만료'와 비슷한 개념이죠.

기능성 원료는 몸에 일어나는 특정 증상이나 질환 등을 예방하기 위해 쓰이는 성분으로, 전문의약품이나 일반의약품만큼 치료 효과가 있는 것은 아니지만, '도움을 줄 수 있다' 정도의 성분입니다. 그래서 의사나 약사가 아니더라도 이 기능성 원료로 만든 건강기능식품을 판매할 수 있죠.

이제 기능성별로 구분하여 성분명과 일일 섭취량, 주의사항을 보겠습니다.

1. 간 건강

원료명	성분명	일일섭취량	주의사항
브로콜리 스프라우트 분말	sulforaphane	-	-
표고버섯균사체추출물	β-glucan	1.8 g	-
밀크씨슬 추출물	Silymarin	130 mg	알레르기 반응 시 중단 설사, 위통, 복부팽만 등 위장관계 장애 시 주의
표고버섯균사체	β-glucan	350 mg	임산부, 수유부 섭취주의
복분자추출분말	Ellagic acid	3,150 mg	-
발효울금	Curcumin	3 g	어린이, 임산부, 수유부 섭취주의 항응고제 복용시 주의
도라지추출물	Platycodin D	3 g	임산부, 수유부 섭취주의 알레르기, 특정 질환 주의
유산균 발효 마늘 추출물	cycloalliin	1.5 g	-
헛개나무과병 추출물	Quercetin	2,460 mg	임산부, 수유부 섭취주의
유산균 발효 다시마추출물	γ-aminobutyric acid	1.5 g	요오드 높은 해조류, 어패류 등 섭취 시 주의 갑상선 질환 주의 임산부, 수유부 섭취주의
곰피추출물	Dieckol	420 mg	임산부, 수유부, 12세 이하 어린이 섭취주의 해조류, 어패류 병용주의 갑상선질환자 주의
인삼	Rg1+Rb1	Rg1+Rb1 28.8 mg	당뇨병치료제, 항응고제 병용 시 섭취주의
피니톨	-	300mg	당뇨병 치료,예방 불가 영유아, 어린이, 임산부, 수유부 섭취주의 특정질환, 알레르기 주의

원료명	성분명	일일섭취량	주의사항
개똥쑥추출분말	Scopoletin	686 mg	영유아, 어린이, 임산부, 수유부 섭취삼가 특정질환, 알레르기 주의
레몬밤민들레추출 복합물	Chicoric acid, Rosmarinic acid	500 mg	영유아, 어린이, 청소년, 임산부, 수유부 섭취금지 특정질환, 알레르기 주의 수면유도제, 갑상선호르몬제, 중추신경억제제 상담
L. plantarum LC27과 B. longum LC67의 프로바이오틱스 복합물 (NVP-1702)	-	1 g	영유아, 어린이, 임산부, 수유부 섭취삼가 알레르기, 단장증후군 주의
새싹보리추출물	Saponarin		영유아, 어린이, 임산부, 수유부 섭취주의 특정질환, 알레르기 주의

2. 갱년기 남성 건강

원료명	성분명	일일섭취량	주의사항
마카젤라틴화 분말	n-benzyl-hexadecanamide	5.0 g	-
MR-10 민들레 등 복합추출물	(1) Luteolin (민들레) (2) Isoorientin (루이보스)	400 mg	-
옻나무 추출분말	Fustin	1 g	-
호로파종자 등 추출 복합물	4-Hydroxy-L-isoleucin, D-pinit	400mg	땅콩 알레르기 주의
호로파종자추출물	Vitexin	600 mg	땅콩 알레르기 주의 영유아, 어린이, 임산부, 수유부 섭취주의
비수리추출분말	D-pinitol	1,250 mg	성인 남성만 섭취할 것 특정질환, 알레르기 주의

3. 갱년기 여성 건강

원료명	성분명	일일섭취량	주의사항
프랑스해안송껍질 추출물	Procyanidin	60~200 mg	임산부 섭취 전 상담 필요 수술 전후 섭취주의
백수오 등 복합추출물	(1) Cinnamic acid (2) Shanzhiside methylester (3) Nodakenin	514 mg	임산부, 수유부 섭취삼가 항응고제, 항혈전제 주의
석류추출물	Ellagic acid	6 g	임산부, 수유부 섭취삼가 항혈전제 주의 에스트로겐 민감 시 주의
회화나무 열매추출물	Sophoricoside	350 mg	에스트로겐 민감 시 주의
석류농축액	Ellagic acid	10 mL	어린이, 임산부, 수유부 섭취삼가 에스트로겐 민감 시 주의
홍삼	-	Rg1, Rb1, Rg3 합계 25~80 mg	-
오미자추출물	Schizandrin, Gomisin A, Gomisin N의 합	783 mg	항응고제, 항혈전제 주의
Lactobacillus acidophilus YT1	-	$1 * 10^8$ CFU/g 이상	질환, 면역억제제 상담 필 알레르기체질, 어린이주의
MS-10 엉겅퀴등복합 추출물	Chlorogenic acid, Rosmarinic acid	300 mg	임산부, 수유부 섭취삼가 알레르기, 에스트로겐 민감, 항우울제, 호르몬제 주의
대두추출물등복합물	8-Prenylnaringenin	190 mg	영유아, 어린이, 임산부, 수유부 섭취주의 에스트로겐 민감, 알레르기 체질, 특정질환 상담필요
루바브뿌리추출물	Rhaponticin	4 mg	영유아, 어린이, 임산부, 수유부 섭취주의 에스트로겐 민감, 알레르기 체질, 특정질환 상담필요

원료명	성분명	일일섭취량	주의사항
발아발효콩추출물	쿠메스테롤	1 g	영유아, 어린이, 임산부, 수유부 섭취삼가 특정질환, 알레르기, 에스트로겐, 대두이소플라본 민감주의
루바브뿌리추출물	-	4 g	영유아, 어린이, 임산부, 수유부, 에스트로겐 민감주의 알레르기, 특정질환 상담필요
단삼주정추출분말	단신수	600 mg	어린이, 임산부, 수유부, 에스트로겐 민감, 특정질환, 알레르기, 항응고제 주의

4. 과민한 피부반응, 면역 과민반응 개선

원료명	성분명	일일섭취량	주의사항
과채유래유산균	유산균 (L.plantarum CJLP133)	1.0 * 10^{10} CFU ~ 1.0 * 10^{12} CFU	-
L. sakei Probio	유산균 (L. sakei Probio65)	1.0 * 10^{10} CFU ~ 1.0 * 10^{12} CFU	-
감마리놀렌산 함유 유지	감마리놀렌산	160~300 mg	영,유아 섭취 시 상담 필요
프로바이오틱스 ATP	생균수	2 * 10^9 CFU	질병 치료 중, 알레르기 상담 필요
액상 다래추출물	Quinic acid Citric acid	2~2.5 g	임산부, 수유부 섭취주의
다래추출물 (PG102)	Quinic acid Citric acid	2 g	임산부, 수유부 상담필요

5. 관절 건강

원료명	성분명	일일섭취량	주의사항
초록잎홍합 추출오일	EPA, DHA, DPA, α-Linolenic acid	리프리놀-초록입 홍합추출오일 200 mg	혈전용해제 주의
황금추출물 등 복합물	(1) baicalin (2) catechin	1,100 mg	치료목적으로는 못 씀
MSM	-	1.5~2.0 g	치료목적으로는 못 씀
N-아세틸 글루코사민	-	0.5~1.0 g	치료목적으로는 못 씀
로즈힙 분말	Hyperoside	5 g	알레르기 섭취 주의 임산부, 수유부, 어린이 상담 필요
글루코사민	-	1,500~2,000 mg	-
차조기 등 복합추출물	(1) Puerarin (2) Scopoletin (3) Apigenin	2.4 g	-
지방산복합물	Myristoleic acid	1,248 mg	임산부, 수유부 섭취주의
호프추출물	alpha acids + iso-alpha acids	1~2 g	어린이, 임산부, 수유부 섭취주의 알레르기, 항우울제, 호르몬제 주의
비즈왁스 알코올	(1) 1-tetracosanol (2) 1-hexacosanol (3) 1-octacosanol (4) 1-triacotanol (5) 1-dotriacotanol (6) 1-tetratriacotanol	50~100 mg	어린이, 임산부, 수유부 섭취주의
전칠삼추출물 등 복합물	(1) Ginsenoside (2) Stachyose (3) Eleutheroside	800 mg	-

원료명	성분명	일일섭취량	주의사항
가시오갈피 등 복합추출물	(1) Eleutheroside (2) Ligustilide (3) Baicalin	1.5 g	임산부, 수유부 섭취주의 알레르기, 특이체질, 질병치료 섭취주의
강황추출물	p-Coumaric acid	1 g	영,유아, 임산부, 수유부 섭취주의 알레르기, 특정질환 주의
보스웰리아 추출물	AKBBA+KBA	1,000 mg	임산부, 수유부 섭취주의
CMO 함유 FAC (Fatty Acid Complex)	CMO	CMO 함유 FAC 893 mg CMO 250 mg	임산부, 수유부 섭취주의
닭가슴살연골분말	콘드로이친 황산	40 mg	임산부, 수유부 상담필요 복용 약물 상담필요
참당귀추출분말	Decursin	800 mg	혈액응고방지제, 혈당강하제 상담필요
까마귀쪽나무열매 주정추출물	Hamabiwalactone B	200 mg	-
연어이리추출물 (PRP연어핵산)	-	500 mg	영유아, 어린이, 임산부, 수유부 섭취주의 질환, 면역억제제 상담 필
발효우슬등복합물	발효우슬, 참당귀, 두충	1 g	영유아, 어린이, 임산부, 수유부, 특정질환, 알레 르기, 혈액응고방지제, 혈당강하제 섭취주의
콘드로이친	-	1,200 mg	영유아, 어린이, 임산부, 수유부, 특정질환, 알레 르기, 수술 전후, 항응고제, 항혈소판제, 비스테로이드 계 항염증약, 천식 상담 필
보스웰리아추출물 등 복합물	AKBA, 강황, 가자	200~400 mg	영유아, 어린이, 임산부, 수유부, 특정질환, 알레르기 섭취주의

원료명	성분명	일일섭취량	주의사항
구절초추출물	Linarin	800 mg	영유아, 어린이, 임산부, 수유부, 특정질환, 알레르기 주의
천심련추출물	Andrographolide	300 mg	영유아, 어린이, 청소년, 임산부, 수유부, 특정질환, 알레르기 섭취주의
전호잎추출물	루테올린-7-O-글루코사이드	500 mg	영유아, 어린이, 임산부, 수유부, 특정질환, 알레르기 주의
크릴오일등복합물	EPA+DHA, 아스타잔틴 히알루론산나트륨	462 mg	영유아, 어린이, 임산부, 수유부, 특정질환, 알레르기 주의
크릴오일(FJH-KO)	EPA+DHA	1.5 g	영유아, 어린이, 임산부, 수유부, 특정질환, 알레르기 주의
타히보추출물	Veratric acid	600 mg	영유아, 어린이, 임산부, 수유부, 특정질환, 알레르기 주의 항응고제, 면역억제제 주의
가자추출물	Ellagic acid	500 mg	영유아, 어린이, 임산부, 수유부, 특정질환, 알레르기 주의
보스웰리아추출물	AKBA+KBA	400 mg	영유아, 어린이, 임산부, 수유부, 특정질환, 알레르기 주의

6. 뼈 건강

원료명	성분명	일일섭취량	주의사항
대두 이소플라본	Daidzin+ Genistin+ Glycitin	25 mg	섭취대상은 폐경기여성 임산부, 수유부 섭취삼가 영유아, 어린이 섭취삼가 갑상선, 유방암, 자궁내막 암, 방광암 삼가
흑효모배양액 분말	β-Glucan	150 mg	-
가시오가피숙지황 복합추출물	(1) Eleutheroside E (2) tachyose	800 mg	영,유아, 임산부, 수유부 섭취주의 알레르기, 특정질환 주의
유단백추출물	Lactoferrin	40 mg	우유 알레르기 주의

7. 기억력 개선

원료명	성분명	일일섭취량	주의사항
테아닌 등 복합추출물	(1) L-theanine (2) GABA	210 mg	카페인음료 섭취 삼가
피브로인 효소 가수분해물	(1) Tyrosine (2) Alanine	400 mg	임산부, 수유부 섭취주의
원지추출분말	TMCA	300 mg	임산부, 수유부, 어린이, 위장장애 섭취주의
홍삼농축액	Rg1+Rb1	0.16~5.6 mg	-
인삼가시오갈피 등 혼합추출물	(1) Ligustilide (2) Eleutheroside E (3) Rg1+Rb1 (4) Baicalin	5.2 g	6세 미만 소아 상담 필요
은행잎추출물	플라보놀배당체	120 mg	어린이, 임산부, 수유부 섭취주의 수술 전후, 항응고제 주의
녹차추출물 / 테아닌복합물	(1) 카테킨 (2) L-테아닌	1,680 mg	임산부, 수유부, 어린이, 기타 질환 상담필요 수술 전후, 카페인 주의
당귀 등 추출복합물	(1) Decursin (2) Sauchinone	800 mg	항응고제 주의
EPA+DHA 함유 유지	-	0.9~2 g	-
비파엽추출물	Quercetin	1.5 g	-
구기자추출물	Betaine	1,425 mg	영유아, 임산부, 수유부 상담 필요
천마 등 복합추출물	(1) Gastrodin (2) Salvianolic acid B (3) Ellagic acid (4) Spicatoside A	1.1 g	임산부, 수유부 섭취주의

원료명	성분명	일일섭취량	주의사항
열처리녹차추출물	에피갈로카테킨 갈레이트 갈로카테킨갈레이트	900 mg	영유아, 어린이, 임산부, 수유부, 특정질환, 알레르기 주의 간질환, 의약품 상담필요 식사 후 섭취, 카페인 주의
현삼추출물	-	300 mg	영유아, 어린이, 임산부, 수유부, 특정질환, 알레르기 주의
스피루리나추출물 (SM70EE)	총 엽록소	1 g	영유아, 어린이, 임산부, 수유부, 특정질환, 알레르기 주의
포도블루베리추출 혼합분말	(+)-Catechin, Quercetin	600 mg	영유아, 어린이, 임산부, 수유부, 특정질환, 알레르기 주의
참깨박추출물	-	1.5 g	-

8. 긴장 완화

원료명	성분명	일일섭취량	주의사항
유단백가수분해물	αS1-casein	150 mg	임산부, 수유부, 어린이, 우유 알레르기 섭취 주의
L-테아닌	-	200~250 mg	카페인 섭취삼가
아쉬아간다 추출물	Withaferin A	125~180 mg	임산부, 수유부, 어린이, 섭취 주의
돌외잎추출물	Ombuoside	400 mg	아스피린, 항응고제 주의

9. 눈 건강

원료명	성분명	일일섭취량	주의사항
헤마토코쿠스 추출물	아스타잔틴	4~12 mg	피부 황색 변함 주의 베타카로틴 흡수저해
빌베리추출물	총 안토시아노사이드	160~240 mg	-
루테인 복합물	-	10~20 mg	피부 황색 변함 주의 임산부, 수유부 상담필요 병원치료, 알레르기 주의
지아잔틴 추출물	-	10~20 mg	임산부 상담필요 피부 황색 변함 주의
마리골드추출물	루테인 에스테르	루테인 에스테르 18.5~20 mg 루테인 10~10.8 mg	피부 황색 변함 주의
들쭉열매 추출물	총 폴리페놀	1 g	임산부, 수유부 섭취주의
EPA+DHA 함유 유지	-	0.6~1 g	-
루테인지아잔틴복합 추출물	-	12 mg	영유아, 어린이, 임산부, 수유부 섭취주의
병풀추출분말	Asiaticoside	300 mg	영유아, 어린이, 청소년, 임산부, 수유부 섭취금지 특정질환, 알레르기, 중추 신경억제제 상담필요
차즈기추출물	Luteolin-7-O- diglucuronide	500 mg	-
포도과피효소발효 추출물 (KL-GEFE)	Cyanidin	800 mg	영유아, 어린이, 임산부, 수유부, 특정질환, 알레르기 섭취주의
감잎주정추출분말	Astragalin	600 mg	영유아, 어린이, 임산부, 수유부, 특정질환, 알레르기 섭취주의

10. 면역 기능 개선

원료명	성분명	일일섭취량	주의사항
당귀혼합추출물	(1) nodakenin (2) paeoniflorin (3) chlorogenic acid	20~40 g	임산부, 수유부, 출혈성 질환, 월경불순 상담필요 6세 미만 섭취삼가
Enterococcus faecalis 가열처리 건조분말	(1) Enterococcus faecalis FK-23 (2) Cis-박센산	-	-
L-글루타민	-	3~5 g	신장, 간질환 섭취주의 임산부, 수유부 처방필요
바이오게르마늄효모	-	1.2 g	임산부, 수유부, 12세 이하 어린이 섭취주의
상황버섯추출물	베타글루칸	3.3 g	-
표고버섯균사체	α-glucan	1.8~3.6 g	-
스피루리나	총 엽록소	67~72 mg	-
클로렐라	총 엽록소	125~150 mg	-
청국장균배양정제물	폴리감마글루탐산칼륨	1,000 mg	어린이, 임신부, 수유부 섭취주의
동충하초주정추출물	Cordycepin	1.5 g	-
효모베타글루칸	-	250 mg	-
인삼다당체추출물	Rg1+Rb1	6 g	특이체질, 알레르기 주의 당뇨병약제, 항응고제 복용 시 주의
알로에 겔	총 다당체	100~420mg	-
알콕시글리세롤함유 상어간유	-	0.6~2.7 g	-

원료명	성분명	일일섭취량	주의사항
인삼	Rg1 + Rb1	3~80 mg	당뇨병치료제, 항응고제 주의
홍삼	Rg1+Rb1+Rg3	3~80 mg	당뇨병치료제, 항응고제 주의
베타글루칸분말	-	412 mg	영유아, 어린이, 임산부, 수유부, 특정체질, 알레르기 섭취주의
실크단백질산가수분해물 (Sil-Q1)	세린, 글리신	7.5 g	영유아, 어린이, 임산부, 수유부, 특정질환, 알레르기, 간, 신장기능 이상자 주의
들깨쇠비름혼합추출물	-	1,080 mg	영유아, 어린이, 임산부, 수유부, 특정체질, 알레르기 섭취주의
PLAG	1-palmitoyl-2-linole oyl-3-acetyl-rac-glycerol	1 g	6개월 이상 장기간 섭취주의 어린이, 임산부, 수유부, 가임여성 섭취삼가

11. 운동수행 능력 향상 (근력, 지구력 개선)

원료명	성분명	일일섭취량	주의사항
크레아틴	Creatine monohydrate	3 g	신장에 영향주는 약물, 신장 이상 위험 상담필요 어린이, 임산부, 수유부 섭취삼가, 카페인 섭취 주의
오미자추출물	Schizandrin	1,000 mg	어린이, 임산부, 수유부 섭취삼가, 카페인 섭취 주의
헛개나무과병추출분말	Quercetin	2,460 mg	임산부, 수유부 섭취삼가 간 질환 상담필요
마카젤라틴화분말	n-benzyl-hexa decanamide	1.5~3.0 g	-
옥타코사놀	-	7~40 mg	-
동충하초발효추출물	아데노신	2.1~3.0 g	어린이, 임산부, 수유부 주의 혈당강하제, 항응고제 병용 섭취 시 주의
강황추출물	커큐민	250 mg	영유아, 어린이, 임산부, 수유부, 특정질환, 알레르기 섭취주의

원료명	성분명	일일섭취량	주의사항
Lactobacillus plantarum TWK10 프로바이오틱스	-	$1 * 10^{10}$ CFU	영유아, 어린이, 임산부, 특정질환, 알레르기, 단장 증후군 섭취주의, 상담 필
저분자유청단백가수 분해물	-	6 g	영유아, 어린이, 임산부, 수유부, 특정질환, 알레르기 섭취주의

12. 인지능력 향상

원료명	성분명	일일섭취량	주의사항
참당귀뿌리추출물	(1) decursinol (2) decursin	800 mg	혈액응고방지제, 혈당강하제 상담필요
포스파티딜세린	-	300 mg	임산부, 수유부 섭취주의 위장장애, 불면증 주의
도라지추출물	Platycoside E+ Platycodin D	3 g	-
L. helveticus 발효물	젖산	1 g	-
참당귀추출분말	Decursin	800 mg	소화불량, 속쓰림 주의 혈액응고방지제, 혈당강하제 상담필요
섬쑥부쟁이추출분말	-	960 mg	영유아, 어린이, 임산부, 수유부, 특정질환, 알레르기 섭취주의
Lactobacillus plantarum C29 프로바이오틱스와 발효대두분말의 복합물 (DW2009)	-	800 mg	영유아, 어린이, 임산부, 수유부, 특정질환, 알레르기 섭취주의
흰목이버섯추출분말	Uridine Mannose	600~1200 mg	영유아, 어린이, 임산부, 수유부, 특정질환, 알레르기 섭취주의
미강주정추출물	γ-Oryzanol	1 g	영유아, 어린이, 임산부, 수유부, 특정질환, 알레르기 항히스타민제, 중추신경계 억제제 섭취주의

13. 장 건강

원료명	성분명	일일섭취량	주의사항
이소말토 올리고당	-	8~12 g	-
대두올리고당	stachyose, raffinose	2~3 g	-
라피노스	Lactulose	3~5 g	-
프락토올리고당	-	3~8 g	-
구아검가수분해물	식이섬유	4.6~27 g	-
커피만노올리고당분말	-	1.0 g	어린이, 임산부, 수유부 섭취주의
락추로스파우더	-	650~3,000 mg	-
자일로올리고당	-	0.7~7.5 g	-
밀전분유래 난소화성 말토덱스트린	식이섬유	8~20 g	-
갈락토 올리고당	Galacto-oligosaccharide	2.1~8.4g	-
프로바이오틱스 (VSL#3)	Streptococcus thermophilus Lactobacilus acidophilus Lactobacilus delbrueckii ssp bulgaricus Lactobacilus casei Lactobacilus plantarum Bifidobacterium longum Bifidobacterium infantis Bifidobacterium breve	$1 * 10^8$ CFU ~ $3 * 10^{12}$ CFU	-
목이버섯식이섬유	식이섬유	12 g	-
분말한천	총 식이섬유	2~5 g	어린이, 임산부, 수유부 섭취주의
무화과페이스트	식이섬유	300 g	무화과 알레르기 주의

원료명	성분명	일일섭취량	주의사항
프로바이오틱스	생균 수	10^8~10^{10}	알레르기, 질환 상담필요
보리식이섬유	식이섬유	20~25 g	-
아라비아검(아카시아검)	식이섬유	20 g	-
폴리덱스트로스	식이섬유	4.5~12 g	-
차전자피식이섬유	식이섬유	3.9 g 이상	-
대두식이섬유	식이섬유	20~60 g	대두 알레르기 섭취주의
이눌린/치커리추출물	식이섬유	6.4~20 g	-
밀식이섬유	식이섬유	36 g	-
난소화성말토덱스트린	식이섬유	2.3~44 g	-
알로에 전잎	안트라퀴논계 화합물	20~30 mg	어린이, 임산부, 수유부 섭취삼가 위,신장,간 질환 상담필요
글루코만난 (곤약, 곤약만난)	식이섬유	2.7~17 g	-
알로에 겔	고형분 중 총 다당체	100~420 mg	-
갈락토올리고당분말	-	5.5 g	영유아, 어린이, 임산부, 수유부, 특정질환, 알레르기, 유당불내증 섭취주의
쇠비름주정추출분말	리놀렌산	480 mg	영유아, 어린이, 임산부, 수유부, 특정질환, 알레르기 섭취주의
Bacillus coaqulans Unique IS-2 프로바이오틱스	-	$2 * 10^9$ CFU	특정질환, 알레르기, 영유아, 임산부, 수유부 주의

14. 체지방 감소

원료명	성분명	일일섭취량	주의사항
히비스커스 등 복합추출물	(1) Chitosan (2) (+)-allo-hydroxy -citric acid lactone (3) L-carnitine	2,079 mg	-
공액리놀레산	(1) 총 공액리놀레산 (2) cis-9, trans-11 CLA+trans-10, cis-12 CLA	1.7~4.2 g	영유아, 임산부 섭취삼가
그린마떼추출물	Chlorogenic acid	3 g	-
가르시니아캄보지아 껍질추출물	Total (-)-HCA	750~2,800 mg	임산부, 수유기 섭취삼가 간장, 신장, 심장 기능에 이상 있는 경우 섭취주의
대두배아추출물 등 복합물	(1) Daidzin, Glycitin, Genistin의 합 (2) L-carnitine	700 mg	알레르기성 비염, 천식, 우유 알레르기 섭취주의 임산부, 수유기 섭취주의
중쇄지방산(MCFA) 함유 유지	Caprylic acid+ Capricacid	96~144 mg	-
식물성유지 디글리세라이드	Diacylglyceride	일반 식용유 섭취방법과 동일	-
콜레우스포스콜리추출물	Forskolin	500 mg	임산부, 수유부, 어린이 항응고제, 혈압약제 주의
깻잎추출물	Ursolic acid	2.7 g	유소아, 임산부, 수유부 섭취 주의
L-카르니틴타르트레이트	L-carnitine	2 g	-
Lactobacilus 복합물 HY7601 + KY1032	-	$1.0 * 10^{10}$ CFU	질환, 알레르기, 면역억제제 상담필요
깻잎추출물	우르솔산	2.7 g	영유아, 어린이, 임산부, 수유부 섭취주의

원료명	성분명	일일섭취량	주의사항
레몬 밤 추출물 혼합분말	(1) rosmarinic acid (2) 1-Deocynojirimycin (3) 6,7-Dimethylesculetin	1,380 mg	알레르기, 어린이, 임산부, 수유부 섭취주의
녹차추출물	Catechin	0.3~1 g	어린이, 임산부, 수유부, 간질환, 카페인 섭취주의
서목태(쥐눈이콩) 펩타이드 복합물	(1) Arginine (2) Leucine	4.5 g	-
키토올리고당	Chito-oligosaccharide	3 g	게, 새우 등 알레르기 주의
마테열수추출물	Chlorogenic acid	3 g	-
돌외잎주정추출분말	Damulin A	450 mg	-
핑거루트추출분말	Panduratin A	600 mg	-
락토페린 (우유정제 단백질)	-	300 mg	우유 알레르기 섭취주의
미역 등 복합추출물 (잔티젠)	(1) Fucoxanthin (2) Punicic acid	600 mg	임산부, 수유부 섭취주의 석류 알레르기 주의 에스트로겐 민감 주의
키토산	-	3.0~4.5 g	게, 새우 등 알레르기 주의
Lactobacilus gasseri BNR17	-	$6 * 10^{10}$ CFU	-
발효식초석류복합물	초산, 엘라직산	22 mL	임산부, 수유부 섭취주의
보이차추출물	Gallicacid	1 g	임산부, 수유부, 어린이, 질병치료 중 섭취주의
와일드망고종자추출물	Ellagic acid	300 mg	임산부, 수유부 섭취주의
그린커피빈추출물	Chlorogenic acid	400 mg	임산부, 수유부, 유아, 어린이 섭취주의
풋사과추출 폴리페놀	Applephenon	600 mg	사과 알레르기 주의

원료명	성분명	일일섭취량	주의사항
시서스	Quercetin, isorhamnetin	300 mg	영유아, 어린이, 임산부, 수유부, 혈당강하제 주의
자몽추출물 등 복합물 (Sinetrol_)	자몽, 오렌지, 과라나	900 mg	영유아, 어린이, 임산부, 수유부, 특정질환, 알레르기, 카페인 섭취주의 혈압강하제, 부정맥치료제, 고지혈증치료제, 항응고제 상담필요
해국추출물	클로로겐산	700 mg	영유아, 어린이, 임산부, 수유부, 특정질환, 알레르기 섭취주의
발효율피추출분말	Ellagic acid	1.0 g	영유아, 어린이, 임산부, 수유부, 특정질환, 알레르기 섭취주의
모로오렌지추출분말	Cyanidin-3-O-glucoside	400 mg	영유아, 어린이, 임산부, 수유부, 특정질환, 알레르기 섭취주의
우뭇가사리추출물	Fucosterol	1,000 mg	영유아, 어린이, 임산부, 수유부, 특정질환, 알레르기 섭취주의
사삼추출물	리놀레산 베타시토스테롤	750 mg	영유아, 어린이, 임산부, 수유부, 특정질환, 알레르기 섭취주의
레몬버베나추출물등 복합물	Verbascoside Cyanidin-3-O-sambubioside + Delphinidin-3-O-sambubioside	500 mg	영유아, 어린이, 임산부, 수유부, 특정질환, 알레르기 섭취주의 당뇨병, 혈압 질환 상담필요
산수유추출물등복합물	Loganin 4-Hydroxy ben-zoic acid	1,600 mg	영유아, 어린이, 임산부, 수유부, 특정질환, 알레르기 섭취주의
양춘사추출물	바닐릭산	500 mg	영유아, 어린이, 임산부, 수유부, 특정질환, 알레르기 섭취주의

원료명	성분명	일일섭취량	주의사항
옥수수수염 * 레몬밤 추출복합물	Allantoin Rosmarinic acid	1 g	영유아, 어린이, 임산부, 수유부, 특정질환, 알레르기, 항당뇨제, 수면유도제, 갑상선호르몬제, 중추신경억제제 섭취주의 및 상담필요
다이크로스타키스글로메라타추출물	미리세틴 루테올린	400 mg	영유아, 어린이, 임산부, 수유부, 특정질환, 알레르기 섭취주의
크릴오일	-	1~2 g	영유아, 어린이, 임산부, 수유부, 특정질환, 알레르기 섭취주의 항응고제,항혈소판제 상담 필
Bifidobacterium breve B-3 프로바이오틱스	-	$5 * 10^9$ CFU	영유아, 어린이, 임산부, 수유부, 특정질환, 알레르기 섭취주의
와사비잎추출물	Isovitexin	250 mg	영유아, 어린이, 임산부, 수유부, 특정질환, 알레르기 섭취주의

15. 피부 건강

원료명	성분명	일일섭취량	주의사항
소나무껍질추출물 등 복합물	(1) 프로시아니딘 (2) 비타민 C (3) 비타민 E (4) 감마리놀렌산	1,130 mg	임산부, 수유부, 어린이 섭취삼가 달맞이꽃종자유 과민주의 기타 질병, 수술전후 주의
메론추출물	SOD	500~1,000 IU	밀 단백질 알레르기 주의
홍삼, 사상자, 산수유 복합추출물	(1) Rb1 (2) Rb3 (3) Torilin (4) Loganin	3 g	홍삼, 사상자, 산수유에 이상반응 주의 임산부, 수유기 섭취주의
핑거루트추출분말	Panduratin A	600 mg	-
포스파티딜세린	-	300 mg	-
프로바이오틱스 HY7714	-	$1 * 10^{10}$ CFU	알레르기, 특정질환 상담
N-아세틸글루코사민	-	1,000 mg	
히알루론산	-	120~240 mg	-
곤약감자추출물	Glucosylceramide	1.2~1.8 mg	임산부, 수유기 섭취삼가
쌀겨추출물	Glucosylceramide	10~34 mg	임산부, 수유기 섭취삼가
AP콜라겐효소분해펩타이드	Gly-Pro-Hyp	1,000~1,500 mg	임산부, 수유기 섭취주의
지초추출분말	Lithospermic acid	2,200 mg	임산부, 수유기 섭취주의
민들레 등 복합추출물	Luteolin, Catechin, Physcion	750 mg	-
Collactive 콜라겐펩타이드	Gly-Pro-Hyp	2 g	임산부, 수유기 섭취주의
허니부쉬추출발효분말	Hesperidin	400~800 mg	임산부, 수유부, 어린이, 유당불내증 섭취주의
갈락토올리고당분말	-	2 g	임산부, 수유부, 어린이, 특정질환, 알레르기 섭취주의

원료명	성분명	일일섭취량	주의사항
저분자콜라겐펩타이드	Gly-Pro-Hyp	1,000 mg	임산부, 수유부 섭취주의
저분자콜라겐펩타이드NS	Gly-Pro dipeptide	1.65 g	임산부, 수유부 섭취삼가 알레르기, 특이체질 주의
옥수수배아 추출물	글루코실세라마이드	40~60 mg	임산부, 수유부 섭취삼가 알레르기, 특이체질, 질병 치료 중 섭취삼가
밀배유추출물	Glucosylceramide	30 mg	임산부, 수유부 섭취삼가 밀 알레르기 주의
콩보리발효복합물	총 이소플라본 (Daidzein 및 Genistein의 합), 베타글루칸	3 g	영유아, 어린이, 임산부, 수유부 섭취주의 알레르기, 특정질환 상담 에스트로겐 민감 주의
스피루리나	총 엽록소	8~150 mg	-
클로렐라	총 엽록소	8~150 mg	-
엽록소 함유 식물	총 엽록소	8~150 mg	-
알로에 겔	총 다당체	100~420 mg	-
밀추출물	글루코실세라마이드	350 mg	영유아, 어린이, 임산부, 수유부, 알레르기 섭취주의
수국잎열수추출물	하이드란게놀	300~600 mg	영유아, 어린이, 임산부, 수유부, 알레르기 섭취주의
배초향추출물	Tilianin	1 g	영유아, 어린이, 임산부, 수유부, 알레르기 섭취주의
석류농축분말	Ellagic acid	1 g	영유아, 어린이, 임산부, 수유부, 에스트로겐 호르몬 민감자 섭취주의
석류농축액	Ellagic acid	13.3 g	영유아, 어린이, 임산부, 수유부, 에스트로겐 호르몬 민감자 섭취주의
로즈마리자몽추출 복합물	Carnosic acid + carnosol	100~250 mg	영유아, 어린이, 임산부, 수유부, 알레르기, 혈압강 하제, 부정맥치료제, 고지 혈증치료제,항응고제 섭취주의 및 상담필요

원료명	성분명	일일섭취량	주의사항
피쉬콜라겐펩타이드	Gly-Pro-Val-Gly-Pro-Ser	3,270 mg	영유아, 어린이, 임산부, 수유부, 알레르기 섭취주의
굴가수분해물	Taurine, FLNK	1.0 g	영유아, 어린이, 임산부, 수유부, 알레르기 섭취주의
들쭉열매추출분말	Delphinidin-3-glucoside	980 mg	영유아, 어린이, 임산부, 수유부, 알레르기 섭취주의
가다랑어 엘라스틴 펩타이드	-	100 mg	영유아, 어린이, 임산부, 수유부, 알레르기 섭취주의

16. 항산화

원료명	성분명	일일섭취량	주의사항
녹차추출물	Catechin	0.3~1 g	영유아, 어린이, 임산부, 수유부, 알레르기 섭취주의 카페인 섭취주의
스쿠알렌	-	10 g	비타민A, D 일일섭취량의 최대함량 넘지 않아야 함
스피루리나	총 엽록소	8~150 mg	-
엽록소 함유 식물	총 엽록소	8~150 mg	-
클로렐라	총 엽록소	8~150 mg	-
복분자동결건조분말	Ellagic acid	30 mg	영유아, 어린이, 임산부, 수유부, 알레르기 섭취주의
비즈왁스알코올	(1) 1-tetracosanol (2) 1-hexacosanol (3) 1-octacosacol (4) 1-triacotanol (5) 1-dotriacotanol (6) 1-tetratriacontanol	50 mg	어린이, 임산부, 수유부 섭취주의
홍삼	Rg1, Rb1	3~80 mg	당뇨병약제, 항응고제 병용주의
유비퀴놀	-	90~100 mg	임산부, 수유부 섭취주의
프로폴리스추출물	총 플라보노이드	16~17 mg	프로폴리스 알레르기 주의

원료명	성분명	일일섭취량	주의사항
유니벡스 대나무잎 추출물	(1) tricin (2) p-coumaric acid	(1) 유니벡스대나무잎 추출물 300~600 mg (2) tricin 0.345~2.07 mg (3) p-coumaric acid 1.095~6.57 mg	임신 중, 수유 중, 콜레스테롤 저하 약물 복용 중에는 상담필요
포도종자추출물	(1) Total flavanol (2) Proanthocyanidin	200 mg	-
프랑스해안송껍질 추출물	Proanthocyanidin	100~300 mg	임산부 상담필요 수술 전후 섭취주의
복분자 주정 추출 폴리페놀 EA108	Ellagic acid	-	임산부, 수유기, 어린이 섭취주의
코엔자임Q10	-	90~100 mg	특정 질환 섭취주의 스타틴, 와파린 병용주의
메론추출물	SOD	500~1,000 IU	밀 단백질 알레르기 주의
토마토추출물	(all-trans)-lycopene	5.7~15 mg	임산부, 수유부, 어린이, 알레르기, 피부변색 주의
고농축녹차추출물	EGCG((-)-epigal-locatechin gallate)	300~330 mg	임산부, 수유부, 어린이 섭취주의

17. 혈당 조절

원료명	성분명	일일섭취량	주의사항
난소화성 말토덱스트린	-	4.6~9.8 g	치료 및 예방 사용불가
바나바주정추출물	Corosolic acid	50~100 mg	치료 및 예방 사용불가
피니톨	-	1.2 g	치료 및 예방 사용불가
홍경천 등 복합추출물	(1) Salidroside (2) Cinnamic acid	900 mg	유소아, 임산부, 수유부 사용삼가 혈당조절 의약품 복용 시 상담 필요
구아바잎추출물	Total polyphenol	120 mg	치료 및 예방 사용불가
탈지달맞이꽃종자 주정추출물	(1) Total polyphenol (2) Penta-O-galloyl beta-D-glucose	200~300 mg	치료 및 예방 사용불가
솔잎증류농축액	(1) 3-carene (2) limonene (3) terpinolene	1,350 mg	기관지 천식, 해소 기침, 기도에 심한 염증 금지
콩발효추출물	(1) α-Glucosidase 활성 억제능(IC50) (2) Tris(2-Amino-2-(hydroxymethyl)-1,3-propanediol)	900 mg	대두 알레르기 주의 임산부, 수유부, 어린이 섭취주의
알부민	0.19-albumin	1.2~1.5 g	소맥알레르기 주의
Nopal 추출물	수용성 식이섬유	4.3 g	어린이, 임산부, 수유부 섭취주의
동결건조누에분말	1-deoxynojirimycin	2.7 g	치료 및 예방 사용불가
지각상엽 추출혼합물	(1) Naringin (2) Astragalin	2.8 g	피부 광과민성 반응 주의

원료명	성분명	일일섭취량	주의사항
서목태(쥐눈이콩) 펩타이드 복합물	(1) Arginine (2) Leucine	4.5 g	-
인삼가수분해농축액	Ginsenoside Rg1	960 mg	당뇨병약제, 항응고제 섭취 시 주의
마주정추출물	Allantoin	900 mg	-
타가토스	D-tagatose	5~7.5 g	-
실크단백질효소 가수분해물	Serine, Glycine, Alanine	6 g	간, 신장 기능 이상 주의 임산부, 어린이 섭취주의
히드록시프로필메틸 셀룰로오스	-	4~8 g	-
상엽추출물	1-deoxynojirimycin	6 g	임산부, 수유부 섭취주의
계피추출분말	Cinnamic acid	336 mg	임산부, 수유부 섭취주의 계피 알레르기 주의
L-arabinose	-	6 g	-

18. 혈압 조절

원료명	성분명	일일섭취량	주의사항
정어리펩타이드	(1) Peptide (2) Val-tyrosine	250~400 μg	고혈압치료제 복용주의
가쯔오부시올리고펩타이드	Leu-Lys-Pro-Asn-Met	가쯔오부시올리고 펩타이드 1.5 g Leu-Lys-Pro-Asn- Met 5 mg	임산부, 수유부 섭취삼가 어린이, 노인, 신부전, 혈압약 복용시 상담필요
카제인가수분해물	VPP 및 IPP	1.8~3.6 mg	임산부, 수유부 섭취삼가 어린이, 노인, 신부전, 혈압약 복용시 상담필요
올리브잎정추출물	Oleuropein	올리브잎주정추출물 500~1,000 mg Oleuropein 90~180 mg	혈압약 복용 시 상담필요
코엔자임Q10	-	90~100 mg	특정질환, 스타틴, 와파린 복용 시 섭취주의
L-글루타민산 유래 GABA 함유 분말	GABA	20 mg	임산부, 수유기, 어린이 섭취주의
해태올리고펩티드	알라닌-라이신- 티로신-세린- 티로신	1.6 g	해조식 섭취 주의가 필요한 분은 섭취삼가
연어펩타이드	lle-Trp	2 g	임산부, 수유부, 어린이, 노인, 신부전증, 혈압약 복용하시는 분 상담필요
서목태(쥐눈이콩) 펩타이드 복합물	Arginine, Leucine	4.5 g	-
나토균 배양분말	피브린용해효소활성	100 mg	대두 알레르기 주의 임산부, 수유부, 항응고제, 수술 전후 섭취주의
포도씨효소분해추출물	Total polyphenol	150~300 mg	-
오가피열매추출물	Chlorogenic acid, Eleutheroside E	2.0 g	임산부, 수유부, 어린이, 영유아, 알레르기 섭취주의
블랙라즈베리추출물	Ellagic acid	2,500 mg	임산부, 수유부, 어린이, 영유아, 알레르기 섭취주의

19. 혈중 중성지방 개선

원료명	성분명	일일섭취량	주의사항
유니벡스 대나무잎 추출물	(1) tricin (2) p-coumaric acid	(1) 유니벡스대나무잎 추출물 300~600 mg (2) tricin 0.345~2.07 mg (3) p-coumaric acid 1.095~6.57 mg	임신 중, 수유 중, 콜레스테롤 저하 약물 복용 중인 분 상담필요
정어리정제어유	(1) DHA (2) EPA	DHA+EPA 500~2,000 mg	항응고제, 고혈압약제, 아스피린 과민 주의 수술 전 섭취 금지 임산부, 수유부 상담필요
DHA 농축유지	(1) DHA (2) EPA	DHA+EPA 0.5~2 g	-
난소화성 말토덱스트린	식이섬유	15~30 g	-
식물성유지 디글리세라이드	Diacylglyceride	일반 식용유 섭취방법과 동일	-
정제오징어유	(1) DHA (2) EPA	DHA+EPA 0.5~2 g	-
글로빈가수분해물	VVYP	1 g	영유아, 어린이, 임산부, 수유부 섭취주의 높은 혈당, 당뇨병환자 섭취주의
Lactobacillus plantarum Q180	-	$4 * 10^9$ CFU	영유아, 어린이, 임산부, 수유부, 특정질환, 의약품 복용시 상담필요 및 주의

20. 혈중 콜레스테롤 개선

원료명	성분명	일일섭취량	주의사항
알로에 추출물	β-sitosterol	(1) 알로에추출물분말 N-932 210~4,200 mg (2) 베타시토스테롤 8.4~168 mg	임산부, 수유부 상담필요 처방, 치료 시 상담필요
알로에 복합추출물	(1) β-sitosterol (2) Monacolin K	(1) 알로에추출물분말 N-932 420~1,680 mg (2) 베타시토스테롤 8.4~33.6 mg (3) 모나콜린 K 2.94~11.76 mg	임산부, 수유부, 처방, 치료 중인 분 상담필요 어린이, 청소년 섭취삼가
대나무잎 추출물	(1) tricin (2) p-coumaric acid	(1) 유니벡스대나무잎 추출물 300~600 mg (2) tricin 0.345~2.07 mg (3) p-coumatic acid 1.095~6.57 mg	임신 중, 수유 중, 콜레스테롤 저하 약물을 복용하는 분 상담필요
스피루리나	Phycocyanin	40~150 mg	-
사탕수수왁스알코올	Policosanol	5~20 mg	임산부, 수유부, 영유아, 어린이, 청소년 섭취삼가 콜레스테롤약 병용주의
식물스타놀에스테르	(1) 식물스타놀에스테르 (2) sitostanol+campestanol (3) 유리스테롤	2.5~3.4 g	-
아마인	(1) 총식이섬유 (2) Secoisolariciresinol diglycoside (3) Linolenic acid	50 g	혈액응고 관련 질병, 혈액응고저해제 주의
보이차추출물	Gallic acid	1 g	임산부, 수유부, 어린이, 알레르기 질환, 질병을 치료중인 분 섭취주의
글루코만난(곤약, 곤약만난)	식이섬유	2.7~17 g	-
옥수수겨식이섬유	식이섬유	10 g	-
구아검가수분해물	식이섬유	9.9~27 g	-
대두단백	조단백질	15g	대두단백 알레르기 주의
유산균복합물	프로바이오틱스	$1.2 * 10^9$ CFU	영유아, 어린이, 임산부, 수유부, 알레르기, 단장증후군 섭취주의

원료명	성분명	일일섭취량	주의사항
홍국	(1) Total monacolin K (2) 활성형 monacolin K	4~8 mg	-
보리베타글루칸추출물	β-glucan	3~8 g	-
창녕양파추출액	Quercetin	150 ml	-
씨폴리놀감태주정 추출물	Dieckol	72~360 mg	해조류, 어패류 등 같이 섭취 시 주의. 갑상선질환, 임산부, 수유부, 12세 이하 어린이 섭취주의
녹차추출물	Catechin	0.3~1 g	-
적포도발효농축액	총 폴리페놀, 카테킨	24 mL	유아, 어린이, 임산부 등 철의 필요량이 증가하는 연령층은 섭취주의
클로렐라	총 엽록소	125~150 mg	-
귀리식이섬유	식이섬유	3 g	-
이눌린/치커리추출물	식이섬유	7.2~20 g	-
차전자피식이섬유	식이섬유	5.5 g 이상	-
대두식이섬유	식이섬유	20~60 g	대두 알레르기 주의
감마리놀렌산함유유지	-	240~300 mg	영유아, 어린이 상담필요
키토산/키토올리고당	-	1.2~4.5 g	게, 새우 알레르기 주의
레시틴	-	1.2~18 g	대두, 난황 알레르기 주의
마늘	알리인	0.6~1.0 g	-
식물스테롤에스테르	-	1.28~4.8 g	-
복분자추출물	Ellagic acid	600 mg	영유아, 어린이, 임산부, 수유부, 알레르기 섭취주의
B. breve IDCC 4401 열처리배양건조물	프로바이오틱스	20~200 mg	영유아, 어린이, 임산부, 수유부, 알레르기 섭취주의
황국	모나콜린 K	700 mg	영유아, 어린이, 임산부, 수유부 섭취주의 간질환,고지혈증치료시 중단

21. 혈행 개선

원료명	성분명	일일섭취량	주의사항
프랑스해안송껍질 추출물	Procyanidin	100~300 mg	임산부 상담필요 수술 전후 섭취주의
정어리정제어유	(1) DHA (2) EPA	500~2,000 mg	항응고제, 고혈압약 주의 수술 전 섭취금지 임산부, 수유부 상담필요 아스피린 과민 주의
메론추출물	SOD활성	500~1,000 IU	밀 단백질 알레르기 주의
홍삼농축액	(1) Rb1+Rg1 (2) Rg3(S)	3 g	알레르기 주의
DHA 농축유지	(1) DHA (2) DHA+EPA	(1) DHA 농축유지 0.9~5.3 g (2) DHA+EPA 0.5~2.0 g	-
정제오징어유	(1) DHA (2) EPA	0.5~2 g	-
나토배양물	피브린용해효소활성	133 mg	알레르기 주의 임산부, 수유부 섭취삼가 항응고제, 항혈소판제 섭취하는 분 상담필요 수술 전후 섭취삼가
은행잎 추출물	플라보놀 배당체	28~36 mg	어린이, 임산부, 수유부, 수술 전후 섭취주의 항응고제 복용시 섭취주의
나토균배양분말	피브린용해효소 활성	44~67 mg	대두 알레르기 주의 임산부, 수유부 섭취주의 항응고제, 수술전후 주의
카카오분말	총 플라바놀	2.8 g	임산부, 수유부, 카페인 민감, 특정 질병 주의
L-아르기닌	-	6 g	임산부, 수유부 섭취주의 저단백 식사, 천식, 심장 질환자 상담필요
감마리놀렌산함유유지	-	240~300 mg	영유아, 어린이 상담필요
영지버섯 자실체 추출물	베타글루칸	24~42 mg	-

원료명	성분명	일일섭취량	주의사항
상황버섯등추출복합물	Protocatechuic acid, Tanshinone IIA	900 mg	영유아, 어린이, 임산부, 수유부, 알레르기, 항응고제 섭취주의
포도잎추출물	퀘르세틴-3-O-글루쿠로나이드	1,800 mg	영유아, 어린이, 임산부, 수유부, 알레르기, 항응고제,항혈소판제 섭취주의

22. 배뇨기능 개선

원료명	성분명	일일섭취량	주의사항
호박씨추출물등 복합물	(1) Polyphenol derivatives (2) 대두이소플라본 배당체의 합	600~1,000 mg	영유아, 어린이, 임산부, 수유부 섭취주의 호박씨, 대두 알레르기, 에스트로겐 민감 주의

23. 수면의 질 개선

원료명	성분명	일일섭취량	주의사항
감태추출물	Dieckol	500 mg	임산부, 수유부, 12세 이하 어린이, 해조류, 어패류, 갑상선질환, 위장관 질환 및 장애 섭취주의
유단백가수분해물 (락티움)	알파에스1카제인	300 mg	임산부, 수유부, 어린이, 유제품 알레르기 섭취주의
미강주정추출물	감마-오리자놀	1 g	영유아, 어린이, 임산부, 수유부, 항히스타민제, 중추 신경계억제제 섭취주의
L-글루탐산발효 가바분말	γ-aminobutyric acid (GABA)	375 mg	영유아, 어린이, 임산부, 수유부, 알레르기, 혈압약, 항우울제 섭취주의
아쉬아간다추출물	Withanoside IV	120 mg	영유아, 어린이, 임산부, 수유부,신경안정제 섭취주의

24. 어린이 키 성장에 도움

원료명	성분명	일일섭취량	주의사항
황기추출물등 복합물 (HT042)	Formononetin, 6,9-epi-8-O-acetylshanzhiside methyl ester, Eleutheroside E	1.5 g	임산부, 수유부 섭취주의 특정원료 알레르기 주의 질병치료, 약물투여, 장기간 섭취 상담필요

25. 여성 질 건강 (유산균 증식을 통한)

원료명	성분명	일일섭취량	주의사항
UREX 프로바이오틱스	생균수	L. rhamnosus GR-1, L. reuteri RC-12 10^9 CFU	알레르기, 특정질환 상담 필요
리스펙타 프로바이오틱스	프로바이오틱스수, 락토페린	124.35 mg	영유아, 어린이, 임산부, 수유부, 유제품 등 알레르기 섭취주의

26. 월경 전 변화에 의한 불편감 개선

원료명	성분명	일일섭취량	주의사항
감마리놀렌산 함유 유지	-	210~300 mg	-
맥아구절초추출복합물	트리신, 클로로겐산	500 mg	영유아, 어린이, 임산부 수유부, 알레르기 섭취주의

27. 위 건강 / 소화 건강

원료명	성분명	일일섭취량	주의사항
비즈왁스 알코올	(1) 1-tetracosanol (2) 1-hexacosanol (3) 1-octacosanol (4) 1-triacotanol (5) 1-dotriacotanol (6) 1-tetrariacontanol	50 mg	수유부, 어린이, 임산부 섭취주의

원료명	성분명	일일섭취량	주의사항
아티초크 추출물	Chlorogenic acid	1.92 g	담관 이상 시 상담필요 알레르기 반응시 중단필요
감초추출물	Glabridin	150 mg	수유부, 임산부 섭취주의 간장, 신장, 심장의 기능 이상자 섭취주의
매스틱 검	총 식이섬유	1,050 mg	수유부, 어린이, 임산부 섭취주의
인동덩굴꽃봉오리 추출물 (그린세라-F)	Secoxyloganin	250 mg	영유아, 어린이, 임산부, 수유부, 알레르기 섭취주의
작약추출물등복합물	Paeoniflorin 1- O-acetylbritanni- lactone	700mg	영유아, 어린이, 임산부, 수유부, 알레르기 섭취주의
스페인감초추출물	Glabridin	150 mg	영유아, 어린이, 임산부, 수유부, 알레르기 섭취주의
꾸지뽕잎추출물	-	100 mg	영유아, 어린이, 임산부, 수유부, 알레르기 섭취주의
증숙생강추출분말	1-디하이드로6- 진저다이온	480 mg	영유아, 어린이, 임산부, 수유부, 알레르기 섭취주의

28. 전립선 건강

원료명	성분명	일일섭취량	주의사항
쏘팔메토열매추출물	Lauric acid	320 mg	어린이, 수유부, 임산부 섭취주의
쏘팔메토열매추출물등 복합물	(1) Lauric acid (2) β-sitosterol	320 mg	어린이, 수유부, 임산부 섭취주의
사군자추출분말	Quisqualic acid	1~2 g	성인남성만 섭취할 것. 알레르기 섭취주의
홍삼오일	베타시토스테롤 리놀레산 펜타데카노산	1,000 mg	성인남성만 섭취할 것. 당뇨치료제, 혈액항응고제, 심혈관계질환 섭취주의
녹용당귀등복합추출물	시알산, 데커신, 글리시리진산	1,000 mg	성인남성만 섭취할 것. 알레르기 섭취주의

29. 요로 건강

원료명	성분명	일일섭취량	주의사항
파크랜 크랜베리 추출분말	Total anthocyanosides	500~1,000 mg	항응고제, 위산분비억제제 병용 섭취 불가
크랜베리 추출물	Total anthocyanosides	500 mg	-

30. 정자 운동성 개선

원료명	성분명	일일섭취량	주의사항
마카젤라틴화분말	n-benzyl-hexadecanamide	5 g	-

31. 치아 건강

원료명	성분명	일일섭취량	주의사항
자일리톨	-	5~10 g	-

32. 코 건강

원료명	성분명	일일섭취량	주의사항
L. plantarum IM76 과 B. longum IM55 복합물	프로바이오틱스	$1.0 * 10^{10}$ CFU	영유아, 어린이, 임산부, 수유부, 알레르기 섭취주의
피카오프레토분말 등 복합물	Total Polyphenol Vit C Chlorogenic acid Cinnamic acid	1,350 mg	어린이, 임산부, 수유부 섭취주의
쑥부쟁이추출분말	Rutin	2 g	영유아, 어린이, 임산부, 수유부, 알레르기 섭취주의
Enterococcus faecalis 가열처리건조분말	Vaccenic acid	1 g	임산부, 수유부 섭취삼가
구아바잎추출물등복합물	Ellagic acid EGCG Gallic acid	800 mg	-

33. 칼슘 흡수 촉진

원료명	성분명	일일섭취량	주의사항
폴리감마 글루탐산	ply γ-glutamic acid	60 ~ 70 mg	-

34. 피로 개선

원료명	성분명	일일섭취량	주의사항
헛개나무과병추출분말	Quercetin	2,460 mg	-
홍경천추출물	Rosavin	200~600 mg	영유아, 임산부, 수유부 섭취주의 알레르기, 특정질환 주의
발효생성아미노산 복합물	(1) L-Leucine (2) L-Isoleucine (3) L-Valine	4.7~5.0 g	신장, 심혈관계 질환, 간 기능 저하인 분 주의 임산부, 수유부 섭취주의
매실추출물	구연산	1~1.3 g	-
인삼	Rg1 + Rb1	3~80 mg	당뇨치료제, 혈액항응고제 주의
홍삼	Rg1 + Rb1 + Rg3	3~80 mg	당뇨치료제, 혈액항응고제 주의
돈태반 발효추출물	L-Leucine L-Lysine L-Leucylglycine	320 mg	영유아, 어린이, 임산부, 수유부, 특정질환, 알레르기 섭취주의
참당귀*녹용*황기 복합추출물	-	500 mg	영유아, 어린이, 임산부, 수유부 섭취삼가 특정질환, 알레르기, 혈액응고방지제, 혈당강하제 복용 섭취주의

지금까지 건강기능식품이 어떤 것인지, 반드시 외부로 섭취해야 하는 필수 영양소, 추가로 몸 상태에 따라 보조할 수 있는 '기능성 원료'까지 살펴보았습니다.

각각의 특성을 알고, 필수 영양소는 일일 섭취량에 모자라지 않게만 먹어줘도 충분히 건강을 유지할 수 있습니다. 다만 개인의 상황과 특성에 따라 조절이 필요합니다. 고용량이라고 그렇게 좋은 것은 아닙니다.

앞서 터득한 지식들을 통해 보다 현명하고 건강한 삶을 누릴 수 있었으면 좋겠습니다. 아래에는 저자가 직접 운영하며 건강한 라이프 스타일을 공유하는 블로그로 이동할 수 있는 QR코드를 넣었습니다. 데일리로 특정 주제들을 다루어 여러 가지 지식들을 공유하고 있고, 여기에 다루지 않은 내용들도 계속 업데이트할 예정이니 참고하시면 좋겠습니다.

그럼 오늘도 건강한 하루 되시기 바랍니다.

네이버블로그 QR코드

의사, 약사들도
모르는
건강기능식품